SALUDO AL MUNDO Y OTROS POEMAS

Walt Whitman

SALUDO AL MUNDO Y OTROS POEMAS

Selección, traducción y prólogo
de Carlos Montemayor

EDICIONES COLIHUE

musarisca

Director de colección
Jorge Boccanera

Diseño de colección
Estudio Lima+Roca

Av. Díaz Vélez 1525
(1405) Buenos Aires - Argentina

I.S.B.N. 950-581-682-0

Hecho el depósito que marca la ley 11.723
IMPRESO EN LA ARGENTINA- PRINTED IN ARGENTINA

PRÓLOGO

Borges señaló que la primera lectura de un clásico es, en realidad, una relectura. Nuestro encuentro directo es un nuevo episodio en una serie de encuentros indirectos y previos que a menudo nos lleva a enfocar sólo cierta faceta o cierta zona del autor y de la obra. Esto nos ocurre, puede ocurrirnos, con Walt Whitman. El deslumbramiento de *Song of Myself*, la altura cósmica que el hombre que nació en Long Island en 1819 y murió en Camden en 1892 pudo infundir en la figura poética también llamada Walt Whitman, podría hacernos olvidar otros rasgos del poeta en su relación con el mundo, con sus recuerdos, con su serena, dilatada, íntima despedida del mundo.

Gran parte de los encuentros indirectos con Whitman ocurren a través de otros poetas, algunos de lengua española, como Federico García Lorca, León Felipe o Pedro Mir. Otras veces, con poetas de una profunda hermandad con él, que también aspiraron a una poesía totalizadora como Fernando Pessoa, Ezra Pound y Pablo Neruda.

Fernando Pessoa descubrió a Walt Whitman entre 1913 y 1914 y así descubrió en sí mismo a dos de sus más esenciales voces: Alberto Caeiro y Álvaro de Campos. Hace tiempo señaló Eduardo Lourenço que estos dos heterónimos fueron resultado de la deflagración del universo de Pessoa al confrontarse con el universo de Walt Whitman; que fueron la manera de integrar (sin desintegrarse él mismo) el impacto fulgurante de Whitman. Siguiendo los poemas de *Salut au Monde!* (*Saludo al mundo*), Pessoa escribe su *Salutaçao a Walt Whitman* (*Saludo a Walt Whitman*):

> Atravesso os teus versos como uma multidão aos
> encontrões a mim,
> e cheira-me a suor, a óleos, a actividade humana
> e mecanica.
> Nos teus versos, a certa altura não sei se leio ou se vivo,
>
> nao sei se o meu lugar real é no mundo ou nos teus versos,

Nao sei se estou aquí, de pé sobre a terra natural,
Ou de cabeça pra baixo, pendurado numa espécie
de estabelecimento,
No tecto natural da tua inspiração de tropel,
No centro do tecto da tua intensidade inaccessível.

Abram-me todas as portas!
Por força que hei-de passar!
Minha senha? Walt Whitman!
Mas não dou senha nenhuma...
Passo sem explicaçoes...
Se for preciso meto dentro as portas...

(Atravieso tus versos como una multitud que choca
conmigo
y huelo el sudor, el aceite, la actividad humana
y mecánica.
En tus versos, a cierta altura no sé si leo o si vivo,
no sé si mi lugar real está en el mundo o en tus versos;

No sé si estoy aquí, de pie sobre la tierra natural
o de cabeza, pendiendo en una especie de morada,
al abrigo natural de tu inspiración de tropel,
en el centro del techo de tu intensidad inaccesible.

¡Ábranme todas las puertas!
¡Por fuerza he de pasar!
¿Mi identificación? ¡Walt Whitman!
Pero no doy identificación alguna...
Paso sin explicaciones...
Si fuera preciso echo abajo las puertas...)

Para Ezra Pound, en cambio, fue más laborioso desprenderse del torbellino de Walt Whitman. Durante muchos años necesitó volverse hacia la lírica griega arcaica, hacia Propercio, hacia los poetas provenzales italianos del *dolce stil nuovo*, la poesía china y sumergirse en la composición de un libro exquisito como *Lustra*, antes de emprender el camino totalizador de sus *Cantos*. En ese laborioso trayecto escribió el poema *A pact*, que refleja esa lucha con siete versos reafirmándose a sí mismo (*I make, I have, I come, I am, I was*) y los dos últimos versos hablando, por fin, en plural:

I make a pact with you, Walt Whitman-
I have detested you long enough.
I come to you as a grown child
Who has had a pig-headed father;
I am old enough now to make friends.
It was you that broke the new wood,
Now it is a time for carving.
We have one sap and one root-
Let there be commerce between us.

(Hago un pacto contigo, Walt Whitman:
te he detestado ya lo suficiente.
Vengo a ti como un hijo crecido
que soportó la tozudez del padre.
Soy bastante grande para hacer mis amigos.
Yo fui la tierna madera que cortaste,
es tiempo ahora de tallarla.
Tenemos una savia y una misma raíz.
Que haya trato entre nosotros.)

Si Walt Whitman canta desde América del Norte hacia el mundo entero, Pound desde la tribu que es la humanidad entera y Pessoa desde el universo que él mismo es y cuestiona y descubre y revela; Pablo Neruda, en cambio, canta todas nuestras luchas desde el continente. También fue lector de *Salut au monde!*, y a partir de la pregunta que Whitman se plantea en ese poema, *What do you see, Walt Whitman?* (*¿Qué ves, Walt Whitman?*), amplía esa visión y *misión* en el *Canto General*:

Walt Whitman, levanta tu barba de hierba,
mira conmigo desde el bosque,
desde estas magnitudes perfumadas.
¿Qué ves allí, Walt Whitman?
Veo, me dice mi hermano profundo,
veo cómo trabajan las usinas
en la ciudad que los muertos recuerdan,
en la capital pura,
en la resplandeciente Stalingrado.
Veo desde la planicie combatida,
desde el padecimiento y el incendio,
nacer en la humedad de la mañana
un tractor rechinante hacia las llanuras.

¡Dame tu voz y el peso de tu pecho enterrado,
Walt Whitman, y las graves
raíces de tu rostro
para cantar estas reconstrucciones!
Cantemos juntos lo que se levanta
de todos los dolores, lo que surge
del gran silencio, de la grave
victoria...

La pasión de Walt Whitman por el mundo alcanzó también a influir en pintores deslumbrantes. Una de las cartas que Vincent van Gogh escribió a su hermana Guillaumette entre septiembre y octubre de 1888 contiene este pasaje:

> ¿Has leído ya las poesías americanas de Whitman? Theo debe tenerlas y te recomiendo que las leas, primero, porque son realmente bellas y después porque actualmente los ingleses hablan mucho de ellas. Él ve en el porvenir e incluso en el presente un mundo de salud, de un amor carnal libre y franco –de amistad–, de trabajo, con el gran firmamento estrellado; algo que al fin de cuentas sólo puede llamarse Dios y la eternidad puestos de nuevo en su lugar por encima de este mundo. Esto hace sonreír al principio, tal es su ingenuidad y pureza; pero por eso mismo nos induce a reflexionar.

Por esta carta que conoció en 1948, Marc Tralbaut sugiere que Vincent van Gogh fue guiado en sus propios vuelos cósmicos por las exaltaciones poéticas de Whitman.

En este volumen he incluido varios de los poemas "clásicos" de Walt Whitman y también algunos poemas no siempre antologados, no siempre recordados quizás, pero que son aquellos que me han hecho regresar muchas veces a mi volumen de *Leaves of Grass* (*Hojas de hierba*), título que Whitman empleó como frontispicio para toda su poesía. No olvido sus grandes poemas declamatorios, tanto los célebres como los muchos prescindibles y repetitivos; no olvido tampoco la tradición de sus traductores, desde Concha Zardoya haste Francisco Alexander y Jorge Luis Borges. Pero hace mucho me persuadió un consejo de Eliot a propósito de las traducciones de Pound: cada generación debe traducir para sí misma (*each generation must translate for itself*).

No me he propuesto una edición escolar. Deseo tan sólo compartir ciertos poemas que admiro y me conmueven. Una selección de *Salut au Monde!*, obra posterior a *Song of Myself* y a *Children of Adam* da título al libro pero todos los poemas siguen el orden cronológico de las obras de Whitman según la edición de Francis Murphy que Penguin publicó en 1975. He traducido lo más ceñidamente posible a vocablos y concepto, aunque no siempre seguí algunas reiteraciones del original ni intenté reproducir ciertos giros arcaicos. Ante algunos pasajes empleé paráfrasis, como en *the hum of your valved voice*, donde *hum* es *canturrear* o *tararear,* pero con la boca cerrada, o en el verso *And that a kelson of the creation is love*, donde no traduje *kelson* como *sobrequilla,* sino que recurrí a la función que ella tiene, que es la de unir y sostener a la quilla con las costillas del casco o cuaderna; por tanto, es lo que une y sostiene a ("al barco de") la creación. He contado con el generoso respaldo del Fideicomiso para la Cultura México/USA. También, con el generoso apoyo de Catherine Rendón, Helene Anderson y Guido Gómez de Silva; a este último debo algunas aventuras filológicas: entre otras, saber que *Dofra* fue hasta el siglo VI el nombre de la ciudad de *Dover,* que el *wood-duck* y el *wood-drake* son el macho y la hembra del *Aix sponsa* o *pato arcoiris*, que el *jay* es la *Cyanocitta cristata* o *urraca azul* o que el *teff* es una palabra etíope que designa un cereal africano de cuyo grano se obtiene harina de buena calidad y de su hierba heno para ganado. Cierta vez, para explicarme que *Brooklyn* es de género femenino, llegó al cuidadoso extremo de informarme que en 1645 recibió el nombre *Breuckelen* en honor de *Breukelen* (grafía ligeramente diferente), población neerlandesa cercana a Amsterdam, que significa, literalmente, grietita, del neerlandés *breuk, grieta, hendidura*. Guido Gómez de Silva me ayudó a ubicar varios de los promontorios, cabos e innumerables regiones que Walt Whitman contempló extensa, amorosamente cuando escribió *Salut au monde!*

Carlos Montemayor*
México, octubre de 1996

***Carlos Montemayor**, nació en México en 1947. Su extensa obra poética incluye los títulos: *Las armas del viento*, *Abril y otros poemas*, *Finisterra*, *El cuerpo que la tierra ha sido*, *Apuntes* y la compilación *Poesía* que reúne su labor entre 1977 y 1994; en narrativa publicó *Operativo en el trópico*, *Encuentros en Oaxaca* y *Guerra en el paraíso*; es autor del ensayo *Chiapas, la rebelión indígena en México*. Obtuvo el Premio Juan Rulfo Internacional, el Premio Xavier Villaurrutia y el Premio Colima de novela. Se destacan sus traducciones de Safo, Carmina Burana, Pessoa, poesía griega y latina, los cuentos gnósticos de M.O. Mortenay, etc. Recibió el Premio Alfonso X de traducción literaria.

INSCRIPTIONS

ONE'S-SELF I SING

One's-Self I sing, a simple separate person,
Yet utter the word Democratic, the word En-Masse.
Of physiology from top to toe I sing,
Not physiognomy alone nor brain alone is worthy
   for the Muse, I say the Form complete
   is worthier far,
The Female equally with the Male I sing.

Of Life immense in passion, pulse, and power,
Cheerful, for freest action form'd under the laws divine,
The Modern Man I sing.

CANTO AL UNO MISMO

Canto al Uno Mismo, a la sola y distinta persona,
pero aún proclamo la palabra Democrática, la palabra
En Masa.
Canto a la fisiología de la cabeza a los pies;
no valen ante la Musa la sola fisionomía ni solamente
el cerebro:
la Forma completa es mucho más valiosa.
Canto a lo Femenino y Masculino por igual.
Y a la más libre obra creada bajo leyes divinas,
a la pasión, vibración y poder de la inmensa vida,
al Hombre Moderno jubiloso canto.

FOR HIM I SING

For him I sing,
I raise the present on the past,
(As some perennial tree out of its roots, the present
on the past),
With time and space I him dilate and fuse
the immortal laws,
To make himself by them the law unto himself.

PARA ÉL CANTO YO

Para él canto yo,
construyo el presente sobre el pasado
(como árbol perenne que se eleva desde sus raíces,
  el presente sobre el pasado),
lo expando con el tiempo y el espacio y fusiono
  inmortales leyes:
quiero que con ellas construya la ley para sí mismo.

ME IMPERTURBE

Me imperturbe, standing at ease in Nature,
Master of all or mistress of all, aplomb in the midst
of irrational things,
Imbued as they, passive, receptive, silent as they,
Finding my occupation, poverty, notoriety, foibles,
crimes, less important than I thought,
Me toward the Mexican sea, or in the Mannahatta
or the Tennessee, or far north or inland,
A river man, or a man of the woods or of any farm-life
of these States or of the coast, or the lakes of Kanada,
Me wherever my life is lived, O to be self-balanced
for contingencies,
To confront night, storms, hunger, ridicule, accidents,
rebuffs, as the trees and animals do.

YO, SERENO

Yo, sereno, cómodamente habituado a la Naturaleza,
Señor de todo o Señora de todo, siempre seguro en
medio de las cosas irracionales,
pero imbuido como ellas, pasivo, receptivo, silencioso
como ellas;
comprendiendo que mi trabajo, pobreza, notoriedad,
debilidad, crímenes, son en realidad menos
importantes de lo que pensaba.
Viviendo por los mares de México o el Manahatta
o el Tennesse, o más lejos, hacia el norte
o tierra adentro;
viviendo como hombre de río, de bosque o de cualquier
tipo de zona rural de estos Estados, o hacia
la costa o los lagos de Canadá,
donde esté quiero seguir inconmovible ante las
contingencias:
enfrentar noches, tormentas, hambre, ridículo,
accidentes, desprecios, como los árboles y los
animales.

I HEAR AMERICA SINGING

I hear America singing, the varied carols I hear,
Those of mechanics, each one singing his as it should
be blithe and strong,
The carpenter singing his as he measures
his plank or beam,
The mason singing his as he makes ready for work,
or leaves off work,
The boatman singing what belongs to him in his boat,
the deckhand singing on the steamboat deck,
The shoemaker singing as he sits on his bench,
the hatter singing as he stands,
The wood-cutter's song, the ploughboy's on his way in
the morning, or at noon intermission or at sundown,
The delicious singing of the mother, or of the young
wife at work, or of the girl sewing or washing,
Each singing what belongs to him or her and to none
else,
The day what belongs to the day –at night the party
of young fellows, robust, friendly,
Singing with open mouths their strong melodious songs.

OIGO CANTAR A AMÉRICA

Oigo cantar a América, oigo la variedad de sus cantos.
El de los mecánicos, cada uno cantando como debe ser,
festivo y potente;
el del carpintero, cantando mientras mide la tabla
o la viga;
el del albañil, cantando cuando se prepara para el
trabajo o cuando sale del trabajo;
el del lanchero, cantando lo que corresponde a él y a su
lancha, y el del estibador que canta en la cubierta
del barco;
el del zapatero, cantando cuando se sienta en su banco,
y el del sombrerero, que canta de pie.
Y el canto del leñador, y el del niño labriego
en su ruta por la mañana, durante el receso del
mediodía o al caer el sol;
el exquisito canto de la madre, o el de la joven esposa
mientras trabaja, o el de la muchacha que cose o
lava.
Cada quien canta lo que corresponde a él o a ella y a
nadie más.
Durante el día, lo que pertenece al día –en la noche,
en la fiesta de jóvenes camaradas, robusta,
amistosamente
cantan con las bocas abiertas sus potentes canciones
melodiosas.

STILL THOUGH THE ONE I SING

Still though the one I sing,
(One, yet of contradictions made), I dedicate
  to Nationality,
I leave in him revolt (O latent right of insurrection!
  O quenchless, indispensable fire!)

SIGO CANTANDO AL QUE ES UNO

Sigo cantando al que es Uno
(Uno, pero hecho de contradicciones), a él dedico
  la Nacionalidad,
dejo en él la rebelión (oh latente derecho a la
  insurrección, oh inextinguible, indispensable fuego).

POETS TO COME

Poets to come! orators, singers, musicians to come!
Not to-day is to justify me and answer what I am for,
But you, a new brood, native, athletic, continental,
greater than before known,
Arouse! for you must justify me.

I myself but write one or two indicative words
for the future,
I but advance a moment only to wheel and hurry
back in the darkness.

I am a man who, sauntering along without fully
stopping,
turns a casual look upon you and then averts his face,
Leaving it to you to prove and define it,
Expecting the main things from you.

POETAS FUTUROS

¡Poetas futuros, oradores, cantantes, músicos futuros!
Este día no me justifica ni me revela por qué estoy aquí.
Nueva progenie continental, atlética, más grande que
todas las anteriores,
¡despierta a justificarme!

Yo sólo he escrito una o dos palabras para señalar
el futuro,
avanzo un momento y apresuradamente regreso
a la oscuridad.

Soy un hombre que al caminar, sin detenerse
totalmente,
dirige la mirada hacia ustedes y luego aparta el rostro:
permite que ustedes lo examinen y definan,
espera de ustedes las principales cosas.

STARTING FROM PAUMANOK

STARTING FROM PAUMANOK

Starting from fish-shape Paumanok where I was born,
Well-begotten, and rais'd by a perfect mother,
After roaming many lands, lover of populous pavements,
Dweller in Mannahatta my city, or on southern savannas,
Or a soldier camp'd or carrying my knapsack and gun, or a miner in California,
Or rude in my home in Dakota's woods, my diet meat, my drink from the spring,
Or withdrawn to muse and meditate in some deep recess,
Far from the clank of crowds intervals passing rapt and happy,
Aware of the fresh free giver the flowing Missouri, aware of mighty Niagara,
Aware of the buffalo herds grazing the plains, the hirsute and strong-breasted bull,
Of earth, rocks, Fifth-month flowers experienced, stars, rain, snow, my amaze,
Having studied the mocking-bird's tones and the fligh of the mountain-hawk,
And heard at dawn the unrivall'd one, the hermit thrush from the swamp-cedars,
Solitary, singing in the West, I strike up for a New World.

PARTIENDO DE PAUMANOK

Partiendo de Paumanok, la de silueta de pez, donde
nací,
engendrado y criado por una madre perfecta,
después de recorrer muchas tierras, amante de calles
pavimentadas y transitadas,
residente en Manahatta, mi ciudad, o en las sabanas
del Sur,
soldado acampado o cargando mi mochila y mi arma,
o minero en California,
o rústico en mi casa de los bosques de Dakota, carne
mi dieta, de la fuente mi bebida,
o soñando y meditando en un profundo retiro,
lejos de la estridencia de las multitudes y extasiado y
feliz,
consciente del fluyente, pródigo y refrescante Missouri,
del enérgico Niágara,
de las manadas de búfalos paciendo en las llanuras,
de los toros de hirsutos y poderosos pechos,
asombrándome con la tierra, las rocas, las flores de
mayo, las estrellas, la lluvia, la nieve;
yo, que examino las notas del sinsonte y el vuelo
del halcón de montaña,
y que oigo al amanecer desde los cedros blancos
al tordo incomparable,
solitario, desde Occidente, irrumpo con el canto
de un Nuevo Mundo.

Dead poets, philosophs, priests,
Martyrs, artists, inventors, governments long since,
Language-shapers on other shores,
Nations once powerful, now reduced, withdrawn,
  or desolate,
I dare not proceed till I respectfully credit what yow
  have left wafted hither,
I have perused it, own it is admirable (moving awhile
  among it),
Think nothing can ever be greater, nothing can ever
  deserve more than it deserves,
Regarding it all intently a long while, then dismissing it,
I stand in my place with my own day here.

Here lands female and male,
Here the heir-ship and heiress-ship of the world,
  here the flame of materials,
Here spirituality the translatress, the openly-avow'd,
The ever-tending, the finale of visible forms,
The satisfier, after due long-waiting now advancing,
Yes here comes my mistress the soul.

POETAS, FILÓSOFOS

Poetas, filósofos, sacerdotes,
mártires, artistas, inventores, gobiernos que hace mucho
 tiempo murieron,
artistas del idioma en otras costas,
naciones que fueron poderosas y ahora están
 disminuidas, quebrantadas o desoladas.
No me atrevo a proseguir sin revisar respetuoso lo que
 ustedes enviaron hasta acá.
Lo he repasado y lo considero admirable (he andado,
 en verdad, un poco en medio de esto).
Creo que nada es más grande ni tiene más méritos.
Lo contemplo con atención un largo momento, luego
 lo aparto
y me vuelvo a mi lugar, aquí, a mi propio día.

Aquí, en la masculina y femenina tierra,
con los herederos y herederas del mundo y la
 combustión de elementos,
con la espiritualidad que todo descifra o con lo
 abiertamente confesado,
con lo que siempre tiende a lo mismo, con el final
 de las formas visibles,
con lo que me satisface y que después de una larga
 espera por fin prosigue,
sí, aquí viene mi amante, el alma.

IN ALABAMA

As I have walk'd in Alabama my morning walk,
I have seen where the she-bird the mocking-bird
sat on her nest in the briers hatching her brood.

I have seen the he-bird also,
I have paus'd to hear him near at hand inflating
his throat and joyfully singing.

And while I paus'd it came to me that what he really
sang for was not there only,
Nor for his mate nor himself only, nor all sent back
by the echoes,

But subtle, clandestine, away beyond,
A charge transmitted and gift occult for those being
born.

EN ALABAMA

En Alabama, durante mi caminata matutina,
vi entre los zarzales, en su nido, a la hembra del sinsonte
  que empollaba sus crías.

Vi también al sinsonte macho; me detuve a escucharlo,
  muy cerca:
hinchaba su garganta y gozosamente cantaba.

Ahí, de pie, sentí de pronto que no cantaba por lo
  que había,
ni por su hembra ni para sí mismo, ni que el eco
  devolvía todo su canto:
era que de manera sutil, clandestina, lejana,
transmitía una orden y un secreto don a todos los
  que nacían.

ON MY WAY

On my way a moment I pause,
Here for you! and here for America!
Still the present I raise aloft, still the future of the States I harbinge glad and sublime,
And for the past I pronounce what the air holds of the red aborigines.

The red aborigines,
Leaving natural breaths, sounds of rain and winds, calls as of birds and animals in the woods, syllabled to us for names,
Okonee, Koosa, Ottawa, Monongahela, Sauk, Natchez, Chattahoochee, Kaqueta, Oronoco,
Wabash, Miami, Saginaw, Chippewa, Oshkosh, Walla-Walla,
Leaving such to the States they melt, they depart, charging the water and the land with names.

DETENGO MI CAMINO

Detengo mi camino un momento:
¡aquí estoy para ti y América!
Hoy ensalzo el presente y vaticino dichoso y sublime
el futuro de los Estados.
Y del pasado aún declaró lo que el aire mantiene
de los rojos aborígenes.

Los rojos aborígenes
que han dejado naturales alientos, sonidos de lluvia
y vientos, llamados como de pájaros y animales
en los bosques, hechos sílabas en los nombres
Okonee, Koosa, Ottawa, Monongahela, Sauk, Natchez,
Chattahoochee, Kaqueta, Oronoco,
Wabash, Miami, Saginaw, Chippewa, Oshkosh,
Walla-Walla.
Dejan esto a los Estados y se mezclan, parten, llenando
el agua y la tierra con nombres.

HENCEFORTH

Expanding and swift, henceforth,
Elements, breeds, adjustments, turbulent, quick and audacious,
A word primal again, vistas of glory incessant and branching,
A new race dominating previous ones and grander far, with new contests,
New politics, new-literatures and religions, new inventions and arts.

These, my voice announcing I will sleep no more but arise,
You oceans that have been calm within me! how I feel you, fathomless, stirring, preparing unprecedented waves and storms.

A PARTIR DE AHORA

A partir de ahora se ensanchan y aceleran
elementos, progenies, ajustes y turbulento, rápido,
audaz,
otro primigenio mundo, una gloria incesante y
creciente,
una nueva raza que supera a las otras, mucho más
grande, con nuevas luchas,
nuevas políticas, nuevas literaturas y religiones, nuevos
inventos y artes.
Todo esto anuncia mi voz –no dormiré más
y permaneceré de pie.
Ustedes, océanos que han estado en calma dentro de mí,
¡cómo los siento insondables, excitados, preparando
oleajes y tormentas sin precedentes!

SONG OF MYSELF

1

I believe in you my soul, the other I am must not abase
itself to you,
And you must not be abased to the other.
Loafe with me on the grass, loose the stop from
your throat,
Not words, not music or rhyme I want, not custom
or lecture, not even the best,
Only the lull I like, the hum of your valved voice.

I mind how once we lay such a transparent summer
morning,
How you settled your head athwart my hips and gently
turn'd over upon me,
And parted the shirt from my bosom-bone, and plunged
your tongue to my bare-stript heart,
And reach'd till you felt my beard, and reach'd till
you held my feet.
Swiftly arose and spread around me the peace and
knowledge that pass all the argument of the earth,
And I know that the hand of God is the promise
of my own,
And I know that the spirit of God is the brother
of my own,
And that all the men ever born are also my brothers,
and the women my sisters and lovers,
And that a kelson of the creation is love,
And limitless are leaves stiff or drooping in the fields,
And brown ants in the little wells beneath them,
And mossy scabs of the worm fence, heap'd stones, elder,
mullein and poke-weed.

1

Creo en ti, alma mía, el otro que yo soy no debe
humillarse ante ti ni tú humillarte ante él.

Reposa conmigo en la hierba, arroja lo que obstruya
tu garganta,
no quiero palabras, música ni versos, no quiero
lo acostumbrado ni altas disertaciones,
sólo quiero el arrullo de tu voz entre tus labios cerrados,
el melodioso susurro de tu voz así guardada.

Recuerdo una transparente mañana de verano en que
nos acostamos:
opuesta a mis caderas, apoyaste tu cabeza y luego
suavemente giraste sobre mí,
abriste la camisa a la altura del pecho y hundiste tu
lengua en mi limpio corazón desnudo,
al mismo tiempo acariciabas mi barba y alcanzabas
mis pies.

De pronto me rodearon la paz y el conocimiento que
supera a todos los razonamientos de la tierra,
y sé que la mano de Dios es la promesa de la mía,
y sé que el espíritu de Dios es hermano del mío,
y que todos los hombres que han existido son mis
hermanos y las mujeres mis hermanas y amantes,
y que el amor es lo que une y sostiene a la creación,
y que son innumerables las hojas firmes y las que van
cayendo en los campos,
y las hormigas oscuras en hormigueros subterráneos,
y las costras mohosas de los setos agusanados, las piedras
apiladas, el sauce, el gordolobo, la fitolacácea silvestre.

2

The little one sleeps in its cradle,
I lift the gauze and look a long time, and silently brush
  away flies with my hand.

The youngster and the red-faced girl turn aside
  up the bushy hill,
I peeringly view them from the top.

The suicide sprawls on the bloody floor of the bedroom,
I witness the corpse with its dabbled hair, I note where
  the pistol has fallen.

The blab of the pave, tires of carts, sluff of boot-soles,
  talk of the promenaders,
The heavy omnibus, the driver with his interrogating
  thumb, the clank of the shod horses on the
  granite floor,
The snow-sleighs, clinking, shouted jokes, pelts of
  snow-balls,
The hurrahs for popular favorites, the fury of
  rous'd mobs,
The flap of the curtain'd litter, a sick man inside borne
  to the hospital,
The meeting of enemies, the sudden oath, the blows
  and fall,
The excited crowd, the policeman with his star quickly
  working his passage to the centre of the crowd,
The impassive stones that receive and return so many
  echoes,
What groans of over-fed or half-starv'd who fall
  sunstruck or in fits,
What exclamations of women taken suddenly who
  hurry home and give birth to babes,

2

El pequeño duerme en su cuna,
levanto el velo de gasa y lo miro largo tiempo y en
silencio aparto las moscas con la mano.

El mozalbete y la muchacha de colorado rostro se
desvían por la parte más boscosa de la colina:
trato de verlos desde la cima.

El suicida yace con las piernas abiertas en el suelo
ensangrentado de su habitación,
veo el cadáver con los cabellos empapados, advierto
dónde ha caído la pistola.

El ruido de las calles adoquinadas, las ruedas de
automóviles, el lodo en las suelas, la conversación
de los paseantes,
el pesado ómnibus, el conductor que con su dedo pulgar
pregunta, el repiqueteo metálico de las herraduras de
los caballos contra el suelo de piedra,
los trineos en la nieve, el tintineo de cascabeles, las
bromas a gritos, los golpes de las bolas de nieve,
las aclamaciones a los ídolos populares, la excitación del
populacho
la abertura de la litera cubierta y el enfermo que va
dentro y llevan al hospital,
el encuentro de enemigos, el súbito insulto,
los golpes y la caída,
la muchedumbre excitada, el policía con su estrella
abriéndose paso en medio de la muchedumbre,
las impasibles piedras que reciben y devuelven
tantos ecos,
los gemidos de los hartos y de los que mueren de
hambre, cayendo insolados o convulsos,

What living and buried speech is always vibrating here,
what howls restrain'd by decorum,
Arrests of criminals, slights, adulterous offers made,
acceptances, rejections with convex lips,
I mind them or the show or resonance of them
–I come and I depart.

los gritos de las mujeres tomadas repentinamente
por los dolores de parto y que de inmediato,
en casa, dan a luz,
las conversaciones actuales o pasadas pero siempre
vibrantes aquí, los gemidos que se contienen
por decoro,
la aprehensión de criminales, los desdenes,
las propuestas de adulterio y su aceptación
o su rechazo frunciendo la boca
medito en esto, en su aparición o resonancia
–llego y me retiro.

3

The big doors of the country barn stand open and
ready,
The dried grass of the harvest-time loads the slow-drawn
wagon,
The clear light plays on the brown gray and green
intertinged,
The armfuls are pack'd to the sagging mow.

I am there, I help, I came stretch'd atop of the load,
I felt its soft jolts, one leg reclined on the other,
I jump from the cross-beams and seize the clover
and timothy,
And roll head over heels and tangle my hair full of
wisps.

3

Los grandes portones del granero están ya abiertos,
la hierba seca de la cosecha llena el pesado carretón;
la claridad de la luz juega sobre la mezcla de marrón,
gris y verde;
A brazadas van llenando el combado granero.

Yo estoy también ayudando, vine acostado en lo alto
de la carga,
sintiendo las suaves sacudidas, una pierna sobre
la otra;
salto de los travesaños y agarro el trébol y la alfalfa,
me revuelco y se enredan en mis cabellos manojos
de hierba.

4

Twenty-eight young men bathe by the shore,
Twenty-eight young men and all so friendly;
Twenty-eight years of womanly life and all so lonesome.

She owns the fine house by the rise of the bank,
She hides handsome and richly drest aft the blinds
of the window.
Which of the young men does she like the best?
Ah the homeliest of them is beautiful to her.

Where are you off to, lady? for I see you,
You splash in the water there, yet stay stock still
in your room.

Dancing and laughing along the beach came the
twenty-ninth bather,
The rest did not see her, but she saw them and
loved them

The beards of the young men glisten'd with wet, it ran
from their long hair,
Little streams pass'd all over their bodies.

An unseen hand also pass'd over their bodies,
It descended tremblingly from their temples and ribs.

The young men float on their backs, their white bellies
bulge to the sun, they do not ask who seizes fast
to them,
They do not know who puffs and declines with pendant
and bending arch,
They do not think whom they souse with spray.

4

Veintiocho muchachos se bañan en la playa,
veintiocho muchachos y todos tan amigables.
Y veintiocho años de vida femenina y todos tan
solitarios.

Ella posee la elegante casa que se eleva en la orilla;
ella se oculta, hermosa y lujosamente ataviada, tras las
persianas de la ventana.
¿Cuál de los muchachos le parece el mejor?
Oh, aun el más tosco es hermoso para ella.

¿A dónde va, señora?, pues la he visto
feliz ahí, en el agua, y ahora permanece recluida
en su habitación.

Con danzas y risas, una bañista de veintinueve años
camina a lo largo de la playa,
los demás no la ven,
pero ella los contempla y los ama.

Las barbas de los jóvenes brillan de tan mojadas,
el agua escurre de sus largas cabelleras,
pequeñas corrientes recorren sus cuerpos.

Una mano invisible también recorre sus cuerpos,
desciende trémula desde sus sienes a sus costados.

Los muchachos flotan de espaldas, sus blancos vientres
se arquean al sol, no preguntan quién intenta
sujetarlos tanto,
no saben quién jadea y se retira indecisa y cabizbaja,
no saben a quién salpican con la espuma del mar.

5

The negro holds firmly the reins of his four horses,
the block swags underneath on its tied-over chain,
The negro that drives the long dray of the stone-yard,
steady and tall he stands pois'd on one leg on the
string-piece,
His blue shirt exposes his ample neck and breast and
loosens over his hip-band,
His glance is calm and commanding, he tosses the
slouch of his hat away from his forehead,
The sun falls on his crispy hair and mustache, falls on
the black of his polish'd and perfect limbs.

I behold the picturesque giant and love him, and I
do not stop there,
I go with the team also.

In me the caresser of life wherever moving, backward
as well as forward sluing,
To niches aside and junior bending, not a person
or object missing,
Absorbing all to myself and for this song.

Oxen that rattle the yoke and chain or halt in the leafy
shade, what is that you express in your eyes?
It seems to me more than all the print I have read
in my life.

My tread scares the wood-drake and wood-duck on my
distant and day-long ramble,
They rise together, they slowly circle around.

I believe in those wing'd purposes,
And acknowledge red, yellow, white, playing within me,

5

El negro sostiene con firmeza las riendas de los cuatro
caballos, el aparejo se balancea debajo de la tensa
cadena superior,
el negro conduce el largo carretón del picapedrero,
firme y alto se sostiene apoyando una pierna contra
el carril de defensa,
la camisa azul le cae suelta sobre la faja de la cintura y
descubre el amplio cuello y el pecho;
su mirada es serena y dominante, para despejar su
frente, echa hacia atrás el ala del sombrero,
y el sol cae sobre sus encrespados cabellos y su bigote,
cae sobre el color negro de sus pulidos y
perfectos miembros.

Contemplo al gigante pintoresco y lo amo, y no me
detengo ahí,
continúo también con los cuatro caballos que sujeta
de las riendas.

En dondequiera que esté, acaricio la vida, ya sea que me
vuelva hacia atrás o me vuelva hacia adelante,
ante mis inferiores y nichos apartados me inclino, a
ninguna persona ni objeto olvido, todo absorbo para
mí mismo y para este canto.

Bueyes que hacen vibrar el yugo y la cadena o que
se detienen a la sombra de las frondas,
¿qué expresan con sus ojos?
Me parece que más que todos los libros que he leído
en mi vida.

En mis lejanos y prolongados vagabundeos, mis pisadas
asustan a los patos de plumaje tornasolado,

And consider green and violet and the tufted crown
intentional,
And do not call the tortoise unworthy because she is not
something else,
And the jay in the woods never studied the gamut,
yet trills pretty well to me,
And the look of the bay mare shames silliness out of me.

los veo elevarse, macho y hembra, juntos, y volar a mi
alrededor, lentamente, en círculos.

Creo que hay una intención en ese vuelo,
confieso que siento que se mueven dentro de mí el rojo,
el amarillo, el blanco,
y considero intencional también el verde y el
violeta y el penacho en sus cabezas.
Y no llamo indigna a la tortuga por no ser algo más,
y me parece hermoso en los bosques el graznido
de la urraca azul, que nunca estudió las escalas,
y la estampa de la yegua baya me avergüenza
de mi simpleza

6

These are really the thoughts of all men in all ages
and lands, they are not original with me,
If they are not yours as much as mine they are nothing,
or next to nothing,
If they are not the riddle and the untying of the riddle
they are nothing,
If they are not just as close as they are distant they
are nothing.

This is the grass that grows wherever the land is and
the water is,
This the common air that bathes the globe.

6

En realidad estos son los pensamientos de los hombres
de todas las edades y países, y no se originan
conmigo.
Si no fuesen tuyos y también míos nada serían
o casi nada.
Si no fueran el misterio y la revelación del misterio,
nada serían.
Si no estuvieran cerca y a la vez tan lejos, nada serían.

Ésta es la hierba que crece dondequiera que esté la tierra
y esté el agua,
éste es el aire común que baña el globo.

7

With music strong I come, with my cornets and
my drums,
I play not marches for accepted victors only, I play
marches for conquer'd and slain persons.

Have you heard that it was good to gain the day?
I also say it is good to fall, battles are lost in the same
spirit in which they are won.

I beat and pound for the dead,
I blow through my embouchures my loudest and
gayest for them.

Vivas to those who have fail'd!
And to those whose war-vessels sank in the sea!
And to those themselves who sank in the sea!
And to all generals that lost engagements, and all
overcome heroes!
And the numberless unknown heroes equal to the
greatest heroes known!

7

Traigo vigorosa música de cornetas y tambores:
no sólo entono marchas para celebrar a vencedores,
también entono marchas para los derrotados
y los muertos.

¿Es bueno salir victorioso en cada jornada?
También digo que es bueno ser derrotado, perder las
batallas con el mismo espíritu de quienes las ganan.

Me inclino con reverencia y brindo a los muertos mis
redobles de tambor,
soplo en mis trompetas por ellos lo más
estruendosamente posible y con mi mayor gozo.

¡Vivas a los que han fracasado!
A los que vieron hundirse en el mar su barco de guerra y
a todos aquellos que con él se hundieron en el mar;
a todos los generales que perdieron los combates,
y a todos los héroes derrotados,
y a todos los incontables héroes desconocidos que
son iguales que los más grandes héroes conocidos.

8

I am the poet of the Body and I am the poet of the Soul,
The pleasures of heaven are with me and the pains of hell are with me,
The first I graft and increase upon myself, the latter I translate into a new tongue.

I am the poet of the woman the same as the man,
And I say it is as great to be a woman as to be a man,
And I say there is nothing greater than the mother of men.

I chant the chant of dilation or pride,
We have had ducking and deprecating about enough,
I show that size is only development.

Have you outstript the rest? are you the President?
It is a trifle, they will more than arrive there every one, and still pass on.

I am he that walks with the tender and growing night,
I call to the earth and sea half-held by the night.
Press close bare-bosom'd night –press close magnetic nourishing night!
Night of south winds –night of the large few stars!
Still nodding night –mad naked summer night.

Smile O voluptuous cool-breath'd earth!
Earth of the slumbering and liquid trees!
Earth of departed sunset –earth of the mountains misty-topt!
Earth of the vitreous pour of the full moon just tinged with blue!

8

Soy el poeta del cuerpo y del alma,
en mí están los placeres del cielo y los tormentos
del infierno,
trasplanto y multiplico los placeres y en nuevo lenguaje
vierto los tormentos.

Soy el poeta de la mujer y del hombre,
y afirmo que es tan grande ser mujer como ser hombre,
y afirmo que nada hay más grande que la madre de los
hombres.

Entono el canto que ensancha y enorgullece,
ya basta de caravaneos e imploraciones,
la estatura es sólo crecimiento.

¿Has aventajado a los demás? ¿eres el Presidente?
No importa, todos llegarán a eso y aún más allá.

Soy el que camina con la tierna e inmensa noche,
el que invoca a la tierra y al mar apenas cubierto
por la noche.
Acércame a tu pecho desnudo, acércame, magnética
y nutriente noche,
noche de los vientos del sur, noche de estrellas escasas e
inmensas,
callada noche que aún asiente, noche de verano
enloquecida y desnuda.

Sonríe, oh tierra de aliento puro y voluptuoso,
tierra de claros y adormecedores árboles,
tierra cuando ha terminado el ocaso, tierra de montañas
con neblina en sus cumbres,
tierra del vítreo fluido de la luna llena, ya

Earth of shine and dark mottling the tide of the river!
Earth of the limpid gray of clouds brighter and clearer
for my sake!
Far-swooping elbow'd earth –rich apple-blossom'd earth!
Smile, for your lover comes.

Prodigal, you have given me love –therefore I to you
give love!
O unspeakable passionate love.

suavemente azul,
tierra de la luz y la sombra que jaspean la
corriente del río,
tierra con el terso encanecimiento de nubes, brillantes y
claras para mí,
tierra curva que incesante se mueve, tierra rica
de manzanos en flor.
Sonríe, porque tu amante viene.

Pródiga, me has dado amor: te doy, pues, amor.
Oh, inefable, apasionado amor.

9

Flaunt of the sunshine I need not your bask –lie over!
You light surfaces only, I force surfaces and depths also.

Earth! you seem to look for something at my hands,
Say, old top-knot, what to you want?

Man or woman, I might tell how I like you, but cannot,
And might tell what it is in me and what it is in you,
 but cannot,
And might tell that pining I have, that pulse of my
 nights and days.

Behold, I do not give lectures or a little charity,
When I give I give myself.

You there, impotent, loose in the knees,
Open your scarf'd chops till I blow grit within you,
Spread your palms and lift the flaps of your pockets,
I am not to be denied, I compel, I have stores plenty
 and to spare,
And any thing I have I bestow.

I do not ask who you are, that is not important to me,
You can do nothing and be nothing but what I
 will infold you.

To cotton-field drudge or cleaner of privies I lean,
On his right cheek I put the family kiss,
And in my soul I swear I never will deny him.

On women fit for conception I start bigger and
 nimbler babes,
(This day I am jetting the stuff of far more arrogant
 republics.)

9

No te necesito, ostentosa luz del sol: ahora te aparto.
Sólo iluminas la superficie, yo lleno las superficies
y también las profundidades.

Parece que algo buscas en mis manos,
dime, viejo mundo encopetado, ¿qué deseas?

Hombre o mujer, podría decirte cuánto me gustas,
pero no puedo.
Podría decirte lo que hay en mí y lo que hay en ti,
pero no puedo.
Y podría decirte lo que he anhelado, lo que palpita
en mis noches y mis días.

No, no doy sermones ni limosnas.
Cuando doy, me doy yo mismo.

Ah, impotente, sin fuerza en tus rodillas,
aparta la bufanda y abre la boca para que mi soplo
te llene de vigor,
extiende tus manos, abre tus bolsillos:
nadie me desobedece, yo ordeno, tengo almacenes llenos
y de sobra y todo lo reparto.

No pregunto quién eres, no me importa,
no harás ni serás más que lo que piense de ti.

Ante el peón de algodonales o el limpiador de letrinas
me inclino,
en sus mejillas dejo un beso fraterno
y juro por mi alma que jamás los negaré.

En las mujeres idóneas para concebir engendro más

To any one dying, thither I speed and twist the knob
of the door,
Turn the bed-clothes toward the foot the bed,
Let the physician and the priest go home.

I seize the descending man and raise him with
resistless will,
O despairer, here is my neck,
By God, you shall not go down! hang your whole
weight upon me.

I dilate you with tremendous breath, I buoy you up,
Every room of the house do I fill with an arm'd force,
Lovers of me, bafflers of graves.

Sleep –I and they keep guard all night,
Not doubt, not decrease shall dare to lay finger upon
you,
I have embraced you, and henceforth possess you
to myself,
And when you rise in the morning you will find
what I tell you is so.

grandes e inteligentes hijos (hoy vierto la semilla
de más briosas repúblicas).

Cuando alguien agoniza, hacia él pronto acudo
y abro la puerta,
doblo las cobijas hasta el pie de la cama
y dejo que el médico y el sacerdote se vayan.

Abrazo al hombre moribundo y lo incorporo con
voluntad irresistible:
¡oh, desesperado, aquí está mi cuello,
no caerás, lo juro, suelta en mí todo tu peso!

Te expando con mi vigoroso aliento y te sostengo;
ocupo tus habitaciones con un invencible ejército:
mis amantes, rebeldes a la muerte.

Duerme ya, ellos y yo velaremos toda la noche,
no pondrán sus manos sobre ti la duda ni el
decaimiento.
Te he abrazado y desde ahora sólo yo te poseeré.
Cuando te levantes, en la mañana, verás que todo lo que
he dicho es cierto.

10

It is time to explain myself –let us stand up.

What is known I strip away,
I launch all men and women forward with me into the Unknown.

The clock indicates the moment –but what does eternity indicate?

We have thus far exhausted trillions of winters and summers,
There are trillions ahead, and trillions ahead of them.

Births have brought us richness and variety,
And other births will bring us richness and variety.

I do not call one greater and one smaller,
That which fills its period and place is equal to any.

Were mankind murderous or jealous upon you, my brother, my sister?
I am sorry for you, they are not murderous or jealous upon me,
All has been gentle with me, I keep no account with lamentation,
(What have I to do with lamentation?)

I am an acme of things accomplish'd, and I an encloser of things to be.

My feet strike an apex of the apices of the stairs,
On every step bunches of ages, and larger bunches between the steps,

10

Es tiempo de que me explique: pongámonos de pie.

Me despojo de todo lo que sé
y conmigo llevo a hombres y mujeres
a lo Desconocido.

El reloj marca el instante. Pero, ¿qué marca la eternidad?

Hemos agotado ya trillones de inviernos y de veranos,
pero aún hay trillones adelante y más trillones después.

Todos los nacimientos nos han dado riquezas y variedad.
y otros nacimientos nos darán riquezas y variedad.

Nadie es más grande ni más pequeño:
el que está en su tiempo y su lugar es igual a todos.

¿Ha sido la gente cruel o envidiosa con ustedes,
hermanas y hermanos?
Lo siento, conmigo no ha sido cruel ni envidiosa.
Ha sido dulce y no tengo queja
(¿y de qué me serviría quejarme?)

Soy la culminación de cosas realizadas y el recinto
de cosas por realizarse.

Apoyo el pie en el más alto peldaño:
hay racimos de edades en cada uno y más grandes
aún entre uno y otro;
todos los peldaños de abajo a su tiempo los recorrí
y sigo ahora ascendiendo y ascendiendo.

Subo uno tras otro y detrás de mí los fantasmas
se doblegan;
muy abajo distingo la inmensa Nada primigenia:
sé que ahí estuve alguna vez,

All below duly travel'd, and still I mount and mount.

Rise after rise bow the phantoms behind me,
Afar down I see the huge first Nothing, I know I was
even there,
I waited unseen and always, and slept through
the lethargic mist,
And took my time, and took no hurt from the
fetid carbon.

Long I was hugg'd close –long and long.

Immense have been the preparations for me,
Faithful and friendly the arms that have help'd me.

Cicles ferried my cradle, rowing an rowing like
cheerful boatmen,
For room to me stars kept aside in their own rings,
They sent influences to look after what was to hold me.

Before I was born out of my mother generations
guided me,
My embryo has never been torpid, nothing could
overlay it.

For it the nebula cohered to an orb,
The long slow strata piled to rest it on,
Vast vegetables gave it sustenance,
Monstrous sauroids transported it in their mouths
and deposited it with care.

All forces have been steadily employ'd to complete
and delight me,
Now on this spot I stand with my robust soul.

que invisible esperé, durmiendo en esa letárgica niebla;
que estuve en calma y sin que me dañara el fétido
carbono.

Me abrazó estrechamente largo, largo tiempo esa
inmensidad.

Innumerables fueron los preparativos para que
yo estuviera aquí,
fieles y amistosos fueron los brazos que me ayudaron.

Ciclos enteros transportaron mi cuna remando y
remando como jubilosos navegantes.
las estrellas alteraron sus órbitas para alojarme
y con su influjo protegieron lo que me contenía.

Antes de que me alumbrara mi madre, generaciones
enteras me guiaron:
mi embrión nunca estuvo entorpecido, nada
se le superpuso.

Por él la nebulosa se condensó en el mundo;
largos y lentos estratos se acumularon para que
en ellos descansara;
una vasta vegetación le proporcionó sustento
y monstruosos saurios lo transportaron en sus fauces
y cuidadosamente lo depositaron.

Se recurrió sin cesar a todas las fuerzas para
completarme y deleitarme.
Y ahora estoy aquí con mi alma robusta.

11

The past and present wilt –I have fill'd them,
emptied them.
And proceed to fill my next fold of the future.

Listener up there! what have you to confide to me?
Look in my face while I snuff the sidle of evening,
(Talk honestly, no one else hears you, and I stay
only a minute longer.)

Do I contradict myself?
Very well then I contradict myself,
(I am large, I contain multitudes.)

I concentrate toward them that are nigh, I wait
on the door-slab.

Who has done his day's work? who will soonest
be through with his supper?
Who wishes to walk with me?
Will you speak before I am gone? will you prove
already too late?

11

El presente y el pasado están marchitándose –los he
llenado, los he desgastado.
Me dispongo a llenar mi siguiente pliegue de futuro.

Tú, que me escuchas en las alturas ¿qué quieres
confesarme?
Mírame de frente mientras aspiro la fragancia
de la tarde que declina
(habla honestamente, nadie más te escucha y sólo
dispongo de un minuto).

¿Me contradigo?
Muy bien, me contradigo
(soy inmenso, contengo multitudes).

Me reúno con los que están cerca de mí, los espero
en la puerta.

¿Quién ha terminado su trabajo del día? ¿Quién
terminará más rápido su cena?
¿Quién desea caminar conmigo?
¿Hablarás antes de que me vaya? ¿Lo harás cuando
sea demasiado tarde?

12

The spotted hawk swoops by and accuses me,
he complains of my gab and my loitering.

I too am not a bit tamed, I too am untranslatable,
I sound my barbaric yawp over the roofs of the world.

The last scud of day holds back for me,
It flings my likeness after the rest and true as any
on the shadow'd wilds,
It coaxes me to the vapor and the dusk.

I depart as air, I shake my white locks at the
runaway sun,
I effuse my flesh in eddies, and drift it in lacy jags.

I bequeath myself to the dirt to grow from the
grass I love,
If you want me again look for me under your
boot-soles.

You will hardly know who I am or what I mean,
But I shall be good health to you nevertheless,
And filter and fibre your blood.

Failing to fetch me at first keep encouraged,
Missing me one place search another,
I stop somewhere waiting for you.

12

Repentinamente, el halcón se precipita y me reclama,
 se queja de mi parloteo y dispersión.

También soy indomable, también yo soy intraducible,
lanzo mi bárbaro graznido por encima de todos
 los techos del mundo.

los últimos rayos del día se detienen por mí,
lanzan mi sombra detrás de las demás, tan verdadera
 como todas en la selva de sombras,
y me seducen con la neblina y el ocaso.

Me alejo como el aire, agito mis blancos penachos
 ante el sol que se va,
esparzo mi carne en los remolinos y la dejo suspendida
 como fragmentos de encaje.

Me entrego yo mismo como legado a la tierra para
 que brote la hierba que amo;
si de nuevo me necesitas, búscame en el lodo
 de tus zapatos.

No sabrás quién soy ni qué significo,
pero seré para ti la buena salud,
purificaré y fortaleceré tu sangre.

Si no puedes encontrarme al primer intento,
 no te desanimes.
Si me pierdes en un sitio, búscame en otro.
En algún lugar te espero.

CHILDREN OF ADAM

FROM PENT-UP ACHING RIVERS

From pent-up aching rivers,
From that of myself without which I were nothing,
From what I am determin'd to make illustrious,
  even if I stand sole among men,
From my own voice resonant, singing the phallus,
Singing the song of procreation,
Singing the need of superb children and therein superb
  grown people,
Singing the muscular urge and the blending,
Singing the bedfellow's song (O resistless yearning!
O for any and each the body correlative attracting!

O for you whoever you are your correlative body!
O it, more than all else, you delighting!)
From the hungry gnaw that eats me night and day,
From native moments, from bashful pains, singing
  them,
Seeking something yet unfound though I have
deligently sought it many a long year,
Singing the true song of the soul fitful at random,
Renascent with grossest Nature or among animals,
Of that, of them and what goes with them my poems
  informing,
Of the smell of apples and lemons, of the pairing of
  birds,
Of the wet of woods, of the lapping of waves,
Of the mad pushes of waves upon the land,
  I them chanting,
The overture lightly sounding, the strain anticipating,
The welcome nearness, the sight of the perfect body,
The swimmer swimming naked in the bath, or
  motionless on his back lying and floating,
The female form approaching, I pensive, love-flesh

DESDE LOS ANSIOSOS RÍOS

Desde los ansiosos ríos que han estado contenidos
en mí mismo y sin los cuales nada sería,
y que he determinado glorificar aunque me quede solo
entre los hombres.
Desde mi propia voz resonante cantando al falo,
elevando el himno de la procreación,
cantando al deseo de magníficos hijos y a partir de ellos
de magníficos adultos,
cantando la muscular erección y la unión,
cantando a la pareja en el lecho (oh, ansias irresistibles,
deseos que todos y cada uno sentimos por el cuerpo
al que nos unimos,
tú también, quienquiera que seas, ah, el cuerpo al que
te unes, ah, tu delicia por sobre todas las cosas),
ansias devoradoras que noche y día me consumen,
cantando a estos momentos puros, a estos dolores
pudorosos,
deseando algo que aún no alcanzo aunque lo he buscado
diligentemente por largos años,
elevo el verdadero canto del alma que se entrega al azar
y que renace en la lujuria de los animales y la naturaleza;
de esto y de ellos y de lo que va con ellos a mis
poemas inspirando:
del aroma de manzanas y limones, del apareamiento
de las aves,
de la humedad de los bosques, del encimamiento
de las olas,
de las excitadas embestidas de las olas contra la arena,
desde todo esto canto
y entono suavemente la obertura, anticipo la melodía
de la visión del cuerpo perfecto y su proximidad
bienvenida,
del nadador que se mece desnudo o que flota,

tremulous aching,
The divine list for myself or you or for any one making,
The face, the limbs, the index from head to foot,
and what it arouses,
The mystic deliria, the madness amorous, the utter
abandonment,
(Hark close and still what I now whisper to you,
I love you, O you entirely possess me,
O that you and I escape from the rest and go utterly
off, free and lawless,
Two hawks in the air, two fishes swimming in the
sea not more lawless than we);
The furious storm through me careering, I passionately
trembling.
The oath of the inseparableness of two together,
of the woman that loves me and whom I
love more than my life, that oath swearing,
(O I willingly stakes all for you,
O let me be lost if it must be so!
O you and I! what is to it us what the rest do or think?
What is all else to us? only that we enjoy each other
and exhaust each other if it must be so);
From the master, the pilot I yield the vessel to,
The general commanding me, commanding all, from
him permission taking,
From time the programme hastening (I have loiter'd
too long as it is.)
From sex, from the warp and from the woof,
From privacy, from frequent repinings alone,
From plenty of persons near and yet the right
person not near,
From the soft sliding of hands over me and thrusting
of fingers through my hair and beard,
From the long sustain'd kiss upon the mouth or bosom,
From the close pressure that makes me or any man
drunk, fainting with excess,
From what the divine husband knows, from the work

inmóvil, de espaldas,
de la figura femenina que se acerca, amorosa carne,
trémula, ansiosa.
Para mí, para ti, para el que sea, construyo la
enumeración divina
del rostro, de los miembros; toco lo que hay de la
cabeza a los pies y lo que ello provoca,
el delirio místico, la locura amorosa, el abandono del
final (acércate y calla, escucha lo que ahora susurro en
tu oído:
te amo y por entero me tienes,
escapémonos de los demás, apartémonos, libres y sin ley,
que dos halcones en el aire o dos peces en el mar
no tienen más ley que nosotros),
furiosa tormenta que en mí se conmueve y me hace
temblar apasionado.
Ah, la promesa de no separarse nunca, la mujer que
me ama y a quien amo más que a mi vida,
la promesa por la que juro
(oh, gustosamente arriesgo todo por ti,
que me pierda, si es necesario,
¿qué nos importa lo que hagan o lo que piensen
los demás?,
¿de qué nos serviría?, sólo gocémonos, quedemos
exhaustos si es necesario),
desde quien todo dirige, desde el piloto a quien
cedo la nave,
que me ordena y ordena a todos, a quien pido permiso,
desde el tiempo que la secuencia del canto (mucho me
he estado retrasando ya)
desde el sexo, desde su trama y urdimbre,
desde la intimidad o el solitario y pensativo sufrimiento,
desde las muchas personas cercanas, en las que falta
la que deseamos,
desde las manos que dulcemente me recorren y
los dedos que revuelven mis cabellos y mi barba,
desde el beso prolongado en la boca o en el pecho,

of fatherhood,
From exultation, victory and relief, from the bedfellow's
embrace in the night,
From the act-poems of eyes, hands, hips and bosoms,
From the cling of the trembling arm,
From the bending curve and the clinch,
From side by side the pliant coverlet off-throwing,
From the one so unwilling to have me leave,
and me just as unwilling to leave,
(Yet a moment O tender waiter, and I return),
From the hour of shining stars and dropping dews,
From the night a moment I emerging flitting out,
Celebrate you act divine and you children prepared for,
And you stalwart loins.

o desde el abrazo que me estrecha y que a mí
o a cualquiera embriaga y desenfrena,
desde lo que el esposo divino conoce, desde la tarea
de la paternidad,
desde la exaltación, la culminación y el alivio abrazados
a nuestra pareja en la noche,
desde los poemas vivos que son los ojos, las manos,
las caderas y pechos,
desde los temblorosos brazos que se unen,
desde la flexión de los codos y el sujetarse firmemente,
desde el arrojar de un lado a otro el blando cobertor,
desde la mujer que no está dispuesta a que la deje
ni yo dispuesto a dejarla,
(un momento, oh tú, el que me espera, y regreso),
a la hora de las estrellas que brillan y del rocío,
desde la noche, revoloteando, emerjo
y te celebro, acto divino, y también a ustedes,
hijos por nacer
y a ustedes, entrañas vigorosas.

I SING THE BODY ELECTRIC

1

I knew a man, a common farmer, the father of five sons,
And in them the fathers of sons, and in them
the fathers of sons.

This man was of wonderful vigor, calmness, beauty
of person,
The shape of his head, the pale yellow and white
of his hair and beard, the immeasurable meaning of
his black eyes, the richness and breadth
of his manners,
These I used to go and visit him to see, he was wise also,
He was six feet tall, he was over eighty years old,
his sons were massive, clean, bearded,
tan-faced, handsome,
They and his daughters loved him, all who saw him
loved him,
They did not love him by allowance, they loved him
with personal love,
He drank water only, the blood show'd like scarlet
through the clear-brown skin of his face,
He was a frequent gunner and fisher, he sail'd
his boat himself, he had a fine one presented to him
by a ship-joiner, he had fowling-pieces presented
to him by men that loved him,
When he went with his five sons and many grand-sons
to hunt or fish, you would pick him out as the most
beautiful and vigorous of the gang,
You would wish long and long to be with him,
you would wish to sit by him in the boat that
you and he might touch each other.

1

Conocí a un hombre, un sencillo granjero, padre
de cinco hijos
y, por eso, padre de los padres de los hijos y a la vez
de los padres de los hijos.

Era maravillosamente fuerte, sereno, bello de cuerpo.
La forma de su cabeza, el delicado tono amarillo y
blanco de sus cabellos y su barba, el inmensurable
significado de sus ojos negros, la gracia y grandeza
de sus modales,
todo esto me hacía visitarlo. También era prudente.
Tenía seis pies de estatura, algo más de ochenta años
de edad y sus hijos eran fuertes, limpios y barbados,
bronceados y apuestos.
Ellos y sus hijas lo amaban (todo el que lo veía
lo amaba),
pero no por obligación, sino con un amor personal.
Bebía sólo agua y la sangre roja iluminaba la bronceada
piel de su cara.
Le gustaba cazar y pescar, él mismo navegaba su barca,
una muy fina que le regaló un ensamblador
de navíos, y poseía también escopetas que le habían
regalado hombres que lo amaban.

Cuando iba con sus cinco hijos y sus muchos nietos
a cazar o a pescar, lo hubieras considerado como
el más hermoso y fuerte del grupo.
Hubieras deseado estar con él largamente, hubieras
deseado sentarte junto a él en la barca
y poderse tocar uno al otro.

2

A man's body at auction,
(For before the war I often go to the slave-mart
and watch the sale),
I help the auctioneer, the sloven does not half
know his business.

Gentlemen look on this wonder,
Whatever the bids of the bidders they cannot
be high enough for it,
For it the globe lay preparing quintillions of years
without one animal or plant,
For it the revolving cycles truly and steadily roll'd.

In this head the all-baffling brain,
In it and below it the makings of heroes.

Examine these limbs, red, black, or white,
they are cunning in tendon and nerve,
They shall be strips that you may see them.

Exquisite senses, life-lit eyes, pluck, volition,
Flakes of breast-muscle, pliant backbone and neck,
flesh not flabby, good-sized arms and legs,
And wonders within there yet.

Within there runs blood,
The same old blood! the same red-running blood!
There swells and jets a heart, there all passions,
desires, reachings, aspirations,
(Do you think they are not there because they are not
express'd in parlors and lecture-rooms?)

This is not only one man, this the father of those who

2

Un cuerpo de hombre en subasta
(antes de la guerra iba a menudo al mercado de esclavos
para presenciar la venta):
ayudo al subastador, el desvergonzado no comprende
ni la mitad de su negocio.

Miren, señores, este prodigio
(la cantidad que ofrezcan será insuficiente):
para él se preparó el globo quintillones de años
sin ningún animal ni planta
y ciclos enteros sin cesar transcurrieron.

Dentro de la cabeza, el desconcertante cerebro,
ahí y debajo, la formación de héroes.

Consideren estos miembros rojos, negros o blancos,
tejidos hábilmente con tendones y nervios:
los pondremos al desnudo para que los vean.

Sentidos exquisitos, ojos llenos de vida, valor, voluntad,
bandas de músculos pectorales, columna vertebral y
cuello flexibles, carne firme, brazos y piernas de buen
tamaño.
Y en su interior, aún más maravillas.

Dentro corre la sangre,
la misma antigua sangre, la misma roja fluyente sangre.
Hay un corazón que se expande y bombea y todas
las pasiones, deseos, logros, aspiraciones
(¿creen que no es así porque en salones o en salas
de conferencias no lo dicen?)

Éste no es sólo un hombre, es el padre de muchos

shall be fathers in their turns,
In him the start of populous states and rich republics,
Of him countless immortal lives with countless
embodiments and enjoyments.

How do you know who shall come from the offspring
of his offspring through the centuries?

Who might you find you have come from yourself,
if you could trace back through the centuries?)

hombres que también llegarán a ser padres,
de él se originarán populosos estados y ricas repúblicas,
de él nacerán incontables vidas inmortales con
incontables encarnaciones y goces.

¿Cómo saber quiénes serán los descendientes de sus
descendientes a lo largo de los siglos?
(¿De quiénes provienes tú mismo, de quién descubrirías
que provienes si retrocedieras a lo largo de siglos?)

A WOMAN WAITS FOR ME

A woman waits for me, she contains all, nothing
is lacking,
Yet all were lacking if sex were lacking, or if the
moisture of the right man were lacking.

Sex contains all, bodies, souls,
Meanings, proofs, purities, delicacies, results,
promulgations,
Songs, commands, health, pride, and maternal mystery,
the seminal milk,
All hopes, benefactions, bestowals, all the passions,
loves, beauties, delights of the earth,
All the governments, judges, gods, follow'd persons
of the earth,
These are contain'd in sex as parts of itself and
justifications of itself.

Without shame the man I like knows and avows
the deliciousness of his sex,
Without shame the woman I like knows and avows hers.

Now I will dismiss myself from impassive women,
I will go stay with her who waits for me, and with those
women that are warm-blooded and sufficient for me,
I see that they understand me and do not deny me,
I see that they are worthy of me, I will be the robust
husband of those women.

They are not one jot less than I am,
They are tann'd in the face by shining suns and
blowing winds,
Their flesh has the old divine suppleness and strength,
They know how to swim, row, ride, wrestle, shoot, run,
strike, retreat, advance, resist, defend themselves,

UNA MUJER ME ESPERA

Una mujer me espera, ella contiene todo, nada le falta,
pero de todo careciera si el sexo le faltara, si la
humedad del hombre adecuado le faltara.

El sexo contiene todo: cuerpos, almas,
significados, pureza, demostraciones, resultados,
suavidad, proclamas,
cantos, órdenes, orgullo, salud, el materno misterio,
la leche seminal,
las esperanzas, beneficios, dádivas, todas las pasiones,
amores, bellezas, placeres de la tierra,
todos los gobiernos y jueces y dioses y personas
admiradas del mundo,
todo lo contiene el sexo como parte de sí mismo
y justificación de sí mismo.

Sin avergonzarse, el hombre que quiero conoce y admite
las delicias de su sexo;
sin avergonzarse, la mujer que quiero conoce y admite
las delicias del suyo.

Me retiro de las mujeres que son frías,
quiero estar con la mujer que me espera y con las que
son apasionadas y me satisfacen,
ellas me comprenden y no me rechazan,
merecen que esté con ellas, quiero ser su potente
marido.

Ni en un ápice son inferiores a mí,
han bronceado sus rostros radiantes soles y el soplo
de los vientos,
su carne tiene la misma primigenia flexibilidad
y fuerza divinas;
saben nadar, montar, luchar, remar, disparar, golpear,

They are ultimate in their own right –they are calm,
clear, well-possess'd of themselves.

I draw you close to me, you women,
I cannot let you go, I would do you good,
I am for you, and you are for me, not only for
our own sake, but for others' sakes,
Envelop'd in you sleep greater heroes and bards,
They refuse to awake at the touch of any man but me.

It is I, you women, I make my way,
I am stern, acrid, large, undissuadable, but I love you,
I do not hurt you any more than is necessary for you,
I pour the stuff to start sons and daughters fit for these
States, I press with slow rude muscle,
I brace myself effectually, I listen to no entreaties,
I dare not withdraw till I deposit what has so long
accumulated within me.

Through you I drain the pent-up rivers of myself,
In you I wrap a thousand onward years,
On you I graft the grafts of the best-beloved of me and
America,
The drops I distil upon you shall grow fierce and
athletic girls, new artists, musicians, and singers,
The babes I beget upon you are to beget babes
in their turn,
I shall demand perfect men and women out of my
love-spendings,
I shall expect them to interpenetrate with others,
as I and you interpenetrate now,
I shall count on the fruits of the gushing showers
of them, as I count on the fruits of the
gushing showers I give now,
I shall look for loving crops from the birth, life, death,
immortality, I plant so lovingly now.

comer, retroceder, avanzar, resistir, defenderse;
ellas son lo más importante de su propio derecho:
  son serenas, diáfanas, dueñas de sí mismas.
Acerco a todas ustedes a mí,
no puedo dejarlas partir, les haré un bien.
No por nosotros soy suyo y ustedes mías, sino por otros:
en ustedes duermen grandes héroes y poetas
que se rehúsan a despertar al tacto de un hombre
  que no sea yo.

Estoy con ustedes, mujeres:
me abro paso yo mismo,
soy áspero, enorme, firme, intransigente, pero las amo
y no quiero lastimarlas más de lo necesario,
sólo quiero vertir la sustancia para engendrar
  los hijos y las hijas de estos Estados;
  rítmicamente empujo con rudo músculo
y me aferro a ello, sin oír súplicas,
sin retirarme hasta depositar lo largamente acumulado
  dentro de mí.

Dreno en ustedes los ríos tanto tiempo acumulados
  en mí mismo,
deposito en ustedes un millar de futuros años,
trasplanto en ustedes lo más amado de mí y de América,
crecerán de las gotas que destilo impetuosas y atléticas
  mujeres, nuevos artistas, músicos, cantantes;
  los hijos que hoy engendro a su vez engendrarán
  otros hijos;
quiero hombres y mujeres perfectos de mis derroches
  de amor,
quiero que ellos se unan con los demás como ustedes
  y yo lo hacemos ahora,
cuento desde hoy con los frutos de sus abundantes
  rocíos como cuento ya con los frutos de los míos,
espero desde hoy las amorosas cosechas de nacimientos,
  vidas, muertes e inmortalidad que amorosamente
  siembro ahora.

ONCE I PASS'D THROUGH A POPULOUS CITY

Once I pass'd through a populous city imprinting
  my brain for future use with its shows,
  architecture, customs, traditions,
Yet now of all that city I remember only a woman
  I casually met there who detain'd me for love of me,
Day by day and night by night we were together
  –all else has long been forgotten by me,
I remember I say only that woman who passionately
  clung to me,
Again we wander, we love, we separate again,
Again she holds me by the hand, I must not go,
I see her close beside me with silent lips sad
  and tremulous.

CIERTA VEZ PASÉ POR UNA POPULOSA CIUDAD

Cierta vez pasé por una populosa ciudad y guardé
en mi mente, para emplearlos más tarde, sus
espectáculos, arquitectura, modas, tradiciones.
Ahora de la ciudad recuerdo sólo a una mujer que
conocí casualmente; ella me retuvo, porque me
amaba:
día tras día y noche tras noche estuvimos juntos.
Todo lo demás lo he olvidado.
Recuerdo, digo, a esa mujer. Apasionadamente se
prendía de mí,
de nuevo paseábamos, nos amábamos, nos separábamos
otra vez,
de nuevo me tomaba de la mano, porque no debía irme.
Aún la veo muy cerca de mí, con sus labios silenciosos,
triste y trémula.

AS ADAM EARLY IN THE MORNING

As Adam early in the morning,
Walking forth from the bower refresh'd with sleep,
Behold me where I pass, hear my voice, approach,
Touch me, touch the palm of your hand to my
  body as I pass,
Be not afraid of my body.

COMO ADÁN, MUY TEMPRANO POR LA MAÑANA

Como Adán, muy temprano, por la mañana,
salgo de la enramada a caminar, fresco después del
 sueño.
Oigan mi voz cuando paso, y acérquense.
Tóquenme, pongan la palma de su mano en mi cuerpo
 mientras paso,
no teman a mi cuerpo.

CALAMUS

THAT SHADOW MY LIKENESS

That shadow my likeness that goes to and fro seeking
    a livelihood, chattering, chaffering,
How often I find myself standing and looking
    at it where it flits,
How often I question and doubt whether that
    is really me;
But among my lovers and caroling these songs,
O I never doubt whether that is really me.

ESA SOMBRA, SILUETA MÍA

Esa sombra, silueta mía que va de un sitio a otro
queriendo vivir, que es ruidosa y bromea.
A veces me sorprendo a mí mismo mirando los sitios
por donde se agita.
A veces dudo y me pregunto si efectivamente esa sombra
soy yo.
Pero en medio de mis amantes y cuando entono
estos cantos
nunca dudo que esa sombra realmente soy yo.

FULL OF LIFE NOW

Full of life now, compact, visible,
I, forty years old the eighty-third year of the States,
To one a century hence or any number of centuries
hence,
To you yet unborn these, seeking you.

When you read these I that was visible am become
invisible,
Now it is you, compact, visible, realizing my poems,
seeking me,
Fancying how happy you were if I could be with
you and become your comrade;
Be it as if I were with you. (Be not too certain
but I am now with you.)

LLENO DE VIDA AHORA

Lleno de vida ahora, corporal, visible,
de cuarenta años de edad a los ochenta y tres años
de los Estados,
a un siglo de distancia, o a cuantos siglos sean
de distancia,
te dedico estos versos, a ti que todavía no naces.

Cuando los leas, seré ya invisible (yo, que fui visible).
Pero tú, corporal, visible, hoy lees al fin mis poemas
y me buscas.
Imaginas lo alegre que serías si yo estuviera contigo
y fuera tu camarada.
Sí, piensa que estoy contigo (no consideres tan seguro
que no esté ahora contigo).

SALUT AU MONDE!

1

O take my hand Walt Whitman!
Such gliding wonders! such sights and sounds!
Such join'd unended links, each hook'd to the next,
Each answering all, each sharing the earth with all.

What widens within you Walt Whitman?
What waves and soils exuding?
What climes? what persons and cities are here?
Who are the infants, some playing, some slumbering?
Who are the girls? who are the married women?
Who are the groups of old men going slowly with their
arms about each other's necks?
What rivers are these? what forests and fruits are these?
What are the mountains call'd that rise so high in the
mists?
What myriads of dwellings are they fill'd with dwellers?

1

¡Oh, toma mi mano, Walt Whitman!,
¡Qué maravillas van pasando! ¡Qué lugares y sonidos!
Cuántos eslabones enlazados sin fin, cada uno asido
al siguiente,
cada uno respondiendo a todo, compartiendo el mundo
con todo.

¿Qué se ensancha dentro de ti, Walt Whitman?
¿Qué oleajes y suelos transpiran?
¿Qué climas? ¿Qué gente y qué ciudades hay aquí?
¿Quiénes son los niños? Algunos juegan, otros
se adormecen.
¿Quiénes las muchachas? ¿Quiénes son esas mujeres
casadas?
¿Quiénes los viejos que pasan lentamente en grupos,
apoyándose en los hombros de los otros?
¿Qué ríos son esos? ¿Qué bosques y frutos?
¿Qué montañas se elevan entre la niebla?
¿Qué miríadas de habitaciones celestes son éstas que
tantos habitantes llenan?

2

What do you hear Walt Whitman?
I hear the workman singing and the farmer's wife singing,
I hear in the distance the sounds of children and of animals early in the day,
I hear emulous shouts of Australians pursuing the wild horse,
I hear the Spanish dance with castanets in the chestnut shade, to the rebeck and guitar,
I hear continual echoes from the Thames,
I hear fierce French liberty songs,
I hear of the Italian boat-sculler the musical recitative of old poems,
I hear the locusts in Syria as they strike the grain and grass with the showers of their terrible clouds,
I hear the Coptic refrain toward sundown, pensively falling on the breast of the black venerable vast mother the Nile,
I hear the chirp of the Mexican muleteer, and the bells of the mule,
I hear the Arab muezzin calling from the top of the mosque,
I hear the Christian priests at the altars of their churches,
I hear the responsive base and soprano,
I hear the cry of the Cossack, and the sailor's voice putting to sea at Okotsk,
I hear the wheeze of the slave-coffle as the slaves march on, as the husky gangs pass on by twos and threes, fasten'd together with wrist-chains and ankle-chains,
I hear the Hebrew reading his records and psalms,
I hear the rhythmic myths of the Greeks, and the

2

¿Qué oyes, Walt Whitman?

Oigo al obrero que canta y a la esposa del campesino
que también canta,
oigo en la distancia el ruido de los niños y los animales
al empezar el día,
oigo los gritos rivales de los australianos que persiguen
al caballo salvaje,
oigo la danza española con castañuelas, con rabel
y guitarras, a la sombra de los castaños,
oigo el eco permanente del Támesis,
oigo los impetuosos cantos libertadores de Francia,
oigo la música de viejos poemas que los remeros
italianos cantan en las barcas,
oigo a las langostas que en Siria golpean el grano y la
hierba desplomándose en terribles nubes,
oigo el estribillo copto que al atardecer desciende
melancólicamente por el seno del oscuro, venerable,
anchuroso, engendrador río Nilo,
oigo el silbido del arriero mexicano y las campanillas
de la mula,
oigo la invocación, en lo alto de la mezquita,
del almuédano árabe,
oigo a los sacerdotes cristianos en los altares de sus
iglesias, los responsos de bajos y sopranos,
oigo el grito del cosaco y la voz del marino que se hace
a la mar en Okotsk,
oigo el jadeo de la cuadrilla de esclavos que marchan en
hileras de dos o tres, oigo atravesar su robusto grupo,
todos sujetos con cadenas en los pies y en las manos,
oigo al hebreo leyendo sus anales y sus salmos,
oigo los armoniosos mitos de los griegos y las potentes
leyendas de los romanos,

strong legends of the Romans,
I hear the tale of the divine life and bloody death of
the beautiful God the Christ,
I hear the Hindoo teaching his favorite pupil the
loves, wars, adages, transmitted safely to this day
from poets who wrote three thousand years ago.

oigo el relato de la sagrada vida y sangrienta muerte
del precioso Dios, el Cristo,
oigo al hindú que enseña a su discípulo predilecto
los amores, guerras y proverbios que intactos
conservan hasta hoy y que otros poetas escribieron
hace tres mil años.

3

What do you see Walt Whitman?
Who are they you salute, and that one after another salute you?

I see a great round wonder rolling through space,
I see diminute farms, hamlets, ruins, graveyards, jails, factories, palaces, hovels, huts of barbarians, tents of nomads upon the surface,
I see the shaded part on one side where the sleepers are sleeping, and the sunlit part on the other side,
I see the curious rapid change of the light and shade,
I see distant lands, as real and near to the inhabitants of them as my land is to me.

I see plenteous waters,
I see mountain peaks, I see the sierras of Andes where they range,
I see plainly the Himalayas, Chian Shahs, Altays, Ghauts,
I see the giant pinnacles of Elbruz, Kazbek, Bazardjusi,
I see the Styrian Alps, and the Karnac Alps,
I see the Pyrenees, Balks, Carpathians, and to the north the Dofrafields, and off at sea mount Hecla,
I see Vesuvius and Etna, the mountains of the Moon, and the Red mountains of Madagascar,
I see the Lybian, Arabian, and Asiatic deserts,
I see huge dreadful Arctic and Antarctic icebergs,
I see the superior oceans and the inferior ones, the Atlantic and Pacific, the sea of Mexico, the Brazilian sea, and the sea of Peru,
The waters of Hindustan, the China sea, and the gulf of Guinea,

3

¿Qué ves, Walt Whitman?
¿A quiénes saludas, que unos tras otros también
te saludan?

Veo una gran asombrosa esfera que rueda por el espacio,
veo en la superficie diminutas granjas, caseríos, ruinas,
cementerios, cárceles, fábricas, palacios, chozas,
refugios de bárbaros, tiendas de nómadas,
veo en un lado la parte oscura, donde descansan los que
duermen, y al otro lado la parte soleada,
veo la extraña y rápida mudanza de luz y sombra
veo distantes tierras que, como la mía, son para sus
moradores reales y cercanas.

Veo abundantes aguas,
veo encumbradas montañas,
veo las alineadas cordilleras de los Andes,
veo plenamente los Himalayas, las montañas de Chian
Shahs, Altay, Ghautas,
veo las cumbres gigantescas de Elbruz, Kazbek,
Bazardusi,
veo los Alpes de Estiria y los de Karnak,
veo los Pirineos, los Balcanes, los Cárpatos, y hacia
el norte, los campos de Dover y fuera, hacia el mar,
el monte Hecla,
veo el Vesubio y el Etna, las montañas de la Luna
y las Rojas montañas de Madagascar,
veo los desiertos de Libia, Arabia, Asia,
veo los terribles inmensos *icebergs* del Ártico
y la Antártida,
veo los océanos superiores y los inferiores, el Atlántico
y el Pacífico, los mares de México, el mar

The Japan waters, the beautiful bay of Nagasaki
land-lock'd in its mountains,
The spread of the Baltic, Caspian, Bothnia, the British
shores, and the bay of Biscay,
The clear-sunn'd Mediterranean, and from one to
another of its islands,
The White sea, and the sea around Greenland.

I behold the mariners of the world,
Some are in storms, some in the night with the watch
on the lookout,
Some drifting helplessly, some with contagious diseases.

I behold the sail and steamships of the world, some
in clusters in port, some on their voyages,
Some double the Cape of Storms, some Cape Verde,
others Capes Guardafui, Bon, or Bajadore,
Others Dondra head, others pass the straits of Sunda,
others Cape Lopatka, others Behring's straits,
Others Cape Horn, others sail the gulf of Mexico or
along Cuba or Hayti, others Hudson's bay or Baffin's
bay,
Others pass the straits of Dover, others enter the Wash,
others the firth of Solway, others round cape Clear,
others the Land's End,
Others traverse the Zuyder Zee or the Scheld,
Others as comers and goers at Gibraltar or the
Dardanelles,
Others sternly push their way through the northern
winter-packs,
Others descend or ascend the Obi or the Lena,
Others the Niger or the Congo, others the Indus,
the Burampooter and Cambodia,
Others wait steam'd up ready to start in the ports
of Australia,
Wait at Liverpool, Glasgow, Dublin, Marseilles, Lisbon,

de Brasil y el de Perú,
las aguas del Hindostán, el mar de China
y el Golfo de Guinea,
las aguas de Japón, la bella bahía de Nagasaki,
en medio de montañas,
la amplitud del Báltico, del Caspio, del Botnia,
de las costas británicas y de la bahía de Viscaya,
veo el Mediterráneo de sol purísimo y cada una
de sus islas,
el mar Blanco y el que rodea a Groenlandia.

Distingo a todos los marineros del mundo:
algunos arrostran tempestades, otros, en la noche,
hacen guardia en los puestos de vigía,
otros, sin nadie que los auxilie, van a la deriva;
otros, con enfermedades contagiosas.

Observo los barcos de vela y de vapor de todo el
mundo, unos arracimados en los puertos y otros en
sus rutas;
algunos doblan el Cabo de las Tempestades, otros
Cabo Verde o Guardafui, Bon o Bojador,
otros cruzan el estrecho de Sunda, el del promontorio
Dondra, el Cabo Lopatka, el estrecho de Bering;
otros navegan por el Cabo de Hornos, por el Golfo
de México o a lo largo de Cuba o Haití, por la
bahía de Hudson o la de Baffin,
otros cruzan el estrecho de Dover, penetran por el mar
de Wash, el de Solway o rodean el cabo
Clear o Finisterra,
otros atraviesan por Zuyder Zee o por el Scheld,
otros vienen y van por Gibraltar o los Dardanelos,
o prosiguen su ruta resueltos entre los hielos flotantes
del norte,
o descienden y ascienden por el Obi o el Lena,
por el Níger o el Congo, por el Indo, el Bramaputra

Naples, Hamburg, Bremen, Bordeaux, the Hague, Copenhagen,
Wait at Valparaiso, Rio Janeiro, Panama.

o el Cambodia,
otros, con los vapores listos, esperan ya zarpar
de los puertos de Australia,
esperan zarpar de Liverpool, Glasgow, Dublin, Marsella,
Lisboa, Nápoles, Hamburgo, Bremen, Burdeos,
La Haya, Copenhague,
Zarpar de Valparaíso, Río de Janeiro, Panamá.

4

I see the site of the old empire of Assyria, and that
of Persia, and that of India,
I see the falling of the Ganges over the high rim
of Saukara.

I see the place of the idea of the Deity incarnated
by avatars in human forms,
I see the spots of the sucessions of priests on the earth,
oracles, sacrificers, brahmins, sabians, llamas, monks,
muftis, exhorters,
I see where druids walk'd the groves of Mona,
I see the mistletoe and vervain,
I see the temples of the deaths of the bodies of Gods,
I see the old signifiers.

I see Christ eating the bread of his last supper
in the midst of youths and old persons,
I see where the strong divine young man the Hercules
toil'd faithfully and long and then died,
I see the place of the innocent rich life and hapless fate
of the beautiful nocturnal son, the full-limb'd
Bacchus,
I see Kneph, blooming, drest in blue, with the crown
of feathers on his head,
I see Hermes, unsuspected, dying, well-belov'd,
saying to the people *Do not weep for me,*
This is not my true country, I have lived banish'd
from my true country, I now go back there,
I return to the celestial sphere where every one goes
in his turn.

4

Veo el emplazamiento del viejo imperio de Asiria
y el de Persia y el de la India,
veo la cascada del Ganges cayendo en el alto borde
de Saukara.

Veo el lugar donde la Deidad encarnó por avatares
en figura humana,
veo los puntos de las sucesiones de sacerdotes en la
tierra: oráculos, holocaustos, brahamanes, sabios,
lamas, monjes, muftis, predicadores,
veo el lugar donde caminaban los druidas en las
arboledas de Mona, veo el muérdago y la verbena,
veo los templos erigidos a la muerte de los cuerpos
de los Dioses, veo los antiguos emblemas.

Veo al Cristo que come el pan de su última cena en
medio de jóvenes y viejos,
veo el lugar donde el poderoso Hércules, el joven divino,
se esforzó fiel y largamente y después murió,
veo el lugar de la inocente exquisita vida y triste destino
del hermoso hijo nocturno, el despedazado Baco,
veo a Knep, floreciente, vestido de azul, coronado de
plumas,
y a Hermes, agonizante, irreprochable, bienamado,
diciendo a la gente: *no lloren por mí,*
ésta no es mi verdadera patria, he vivido desterrado
de mi verdadera patria, ahora retorno a ella,
regreso a la celestial esfera a donde todos llegarán.

5

I see the battle-fields of the earth, grass grows upon
them and blossoms and corn,
I see the tracks of ancient and modern expeditions.

I see the nameless masonries, venerable messages
of the unknown events, heroes, records of the earth.

I see the places of the sagas,
I see pine-trees and fir-trees torn by northern blasts,
I see granite bowlders and cliffs, I see green
meadows and lakes,
I see the burial-cairns of Scandinavian warriors,
I see them raised high with stones by the marge
of restless oceans, that the dead men's spirits when
they wearied of their quiet graves might rise
up through the mounds and gaze on the tossing
billows, and be refresh'd by storms, immensity,
liberty, action.

I see the steppes of Asia,
I see the tumult of Mongolia, I see the tents of
Kalmucks and Baskirs,
I see the nomadic tribes with herds of oxen and cows,
I see the table-lands notch'd with ravines, I see
the jungles and deserts,
I see the camel, the wild steed, the bustard, the fat-tail'd
sheep, the antelope, and the burrowing wolf.

I see the highlands of Abyssinia,
I see flocks of goats feeding, and see the fig-tree,
tamarind, date,
And see fields of teff-wheat and places of verdure
and gold.

5

Veo los campos de batalla: en ellos crecen la hierba,
capullos, maíz,
veo los rastros de antiguas y modernas expediciones.
Veo mamposterías sin nombre, venerables mensajes
de desconocidos acontecimientos, héroes,
testimonios de tierra.
Veo los escenarios de las sagas,
veo pinos y abetos quebrados por las ráfagas del norte,
veo acantilados y peñascos de granito, veo verdes
praderas y lagos,
veo los túmulos funerarios de los guerreros escandinavos,
veo sus elevados montones de piedras a la orilla
del incansable mar para que las almas de los muertos,
aburridas de las silenciosas fosas, trepen por ellas
a contemplar las agitadas olas y se reanimen
con las tempestades, la inmensidad, la libertad,
la acción.
Veo las estepas de Asia,
veo los túmulos de Mongolia, veo las tiendas
de Kalmukos y Baskires,
veo las tribus nómadas con sus manadas de bueyes
y vacas,
veo altiplanicies atravesadas por barrancas,
veo selvas y desiertos,
veo al camello, al corcel salvaje, a la avutarda,
a las ovejas de gruesa cola, al antílope y al lobo
que entra en su madriguera.
Veo las serranías de Abisinia,
veo rebaños de cabras que pacen, y la higuera,
el tamarindo, la palmera,
los campos de cereal de Teff y parajes de frondas y de
oro.

I see the Brazilian vaquero,
I see the Bolivian ascending mount Sorata,
I see the Wacho crossing the plains, I see the incomparable rider of horses with his lasso on his arm,
I see over the pampas the pursuit of wild cattle for their hides.

Veo al vaquero brasileño,
al boliviano que asciende por el monte Soratu,
al gaucho que cruza la llanura, incomparable jinete
con su lazo al hombro,
veo en las pampas la persecución del ganado salvaje
para poseer sus pieles.

6

I see the regions of snow and ice,
I see the sharp-eyed Samoiede and the Finn,
I see the seal-seeker in his boat poising his lance,
I see the Siberian on his slight-built sledge drawn
by dogs,
I see the porpoise-hunters, I see the whale-crews
of the south Pacific and the north Atlantic,
I see the cliffs, glaciers, torrents, valleys, of Switzerland I
mark the long winters and the isolation.

6

Veo las regiones de nieve y hielo,
veo al samoyedo de aguzados ojos y al finlandés,
al cazador de focas en su barco, sopesando su lanza,
al siberiano en el sencillo trineo tirado por perros.
Veo a los cazadores de marsopas, a las ballenas del sur
del Pacífico y del norte del Atlántico.
Veo los acantilados, los glaciares, los torrentes, los valles
de Suiza: observo los largos inviernos
y el callado aislamiento.

7

You whoever you are!
You daughter or son of England!
You of the mighty Slavic tribes and empires!
you Russ in Russia!
You dim-descended, black, divine-soul'd African,
large, fine-headed, nobly-form'd, superbly destin'd,
on equal terms with me!
You Norwegian! Swede! Dane! Icelander! you Prussian!

You Spaniard of Spain! you Portuguese!
You Frenchwoman and Frenchman of France!
You Belge! you liberty-lover of the Netherlands!
(you stock whence I myself have descended);
You sturdy Austrian! you Lombard! Hun! Bohemian!
farmer of Styria!
You neighbor of the Danube!
You working-man of the Rhine, the Elbe, or the Weser!
you working-woman too!
You Sardinian! you Bavarian! Swabian! Saxon!
Wallachian! Bulgarian!
You Roman! Neapolitan! you Greek!
You lithe matador in the arena at Seville!
You mountaineer living lawlessly on the Taurus
or Caucasus!
You Bokh horse-herd watching your mares
and stallions feeding!
You beautiful-bodied Persian at full speed in the saddle
shooting arrows to the mark!
You Chinaman and Chinawoman of China!
you Tartar of Tartary!
You women of the earth subordinated at your tasks!
You Jew journeying in your old age through every risk
to stand once on Syrian ground!

7

Tú quienquiera que seas,
hija o hijo de Inglaterra,
de las enérgicas tribus e imperios eslavos, o ruso
 en tu patria rusa;
tú, negro, de oscura descendencia, africano de alma
 divina, corpulento, de hermosa cabeza, de noble
 aspecto, de soberbio destino, mi igual.
Tú, noruego, sueco, danés, irlandés, peruano,
 hijo de España, portugués.
Ustedes, mujeres y hombres de Francia.
Tú, belga; tú, holandés amante de la libertad
 (de tu estirpe desciendo).
Tú, austríaco vigoroso, lombardo, huno, bohemio,
 labrador de Siria o que habitas a un lado del
 Danubio.
Tú, obrero –también tú, obrera– del Rhin,
 del Elba o del Weser.
Tú, sardo, bávaro, suavo, sajón, valaco, búlgaro.
Tú, romano, napolitano, griego.
Tú, fino torero en la arena de Sevilla.
Tú, sin ley en el monte Taurus o en el Cáucaso,
 o tú, cuidador de caballos en Bokara, que contemplas
 tus yeguas y garañones que pacen.
Tú, persa de armonioso cuerpo que a toda carrera,
 desde tu montura, con tus flechas tiras al blanco.
Tú, hombre y mujer de China; tú, hombre de Tartaria.
Ustedes, mujeres del mundo sometidas a sus tareas.
Tú, judío que ya anciano viajas y atraviesas todos
 los riesgos para pisar una vez el suelo sirio.
Y ustedes, los demás judíos que en todas las tierras
 aguardan al Mesías.
Tú, armenio pensativo que en algún lugar contemplas
 aún la corriente del Éufrates; o tú, que contemplas

You other Jews waiting in all lands for your Messiah!
You thoughtful Armenian pondering by some stream of the Euphrates!
You peering amid the ruins of Nineveh! you ascending mount Ararat!
You foot-worn pilgrim welcoming the far-away sparkle of the minarets of Mecca!
You sheiks along the stretch from Suez to Bab-el-mandeb ruling your families and tribes!
You olive-grower tending your fruit on fields of Nazareth, Damascus, or lake Tiberias!
You Thibet trader on the wide inland or bargaining in the shops of Lassa!
You Japanese man or woman! you liver in Madagascar, Ceylon, Sumatra, Borneo!
All you continentals of Asia, Africa, Europe, Australia, indifferent of place!
All you on the numberless islands of the archipelagoes of the sea!
And you of centuries hence when you listen to me!
And you each and everywhere whom I specify not, but include just the same!
Health to you! good will to you all, from me and America sent!

Each of us inevitable,
Each of us limitless –each of us with his or her right upon the earth,
Each of us allow'd the eternal purports of the earth,
Each of us here as divinely as any is here.

en el centro las ruinas de Nínive o que asciendes
por el monte Ararat.
Tú, peregrino cansado ya de caminar, que saludas
el lejano fulgor de los minaretes de la Meca.
Ustedes, jeques que desde Suez a Bab-el-Mandeb
gobiernan familias y tribus.
Tú, que cultivas tus olivos y los cuidas en los campos
de Nazareth, Damasco o el lago Tiberíades.
Tú, comerciante del Tíbet en las inmensidades de tierra
adentro o negociando en las tiendas de Lhasa.
Ustedes, mujeres y hombres japoneses, y los que viven
en Madagascar, Ceilán, Sumatra, Borneo,
los que habitan en cualquier lugar de Asia, África,
Europa, Australia.
Todos ustedes, en las incontables islas de los
archipiélagos del mar entero.
Y ustedes, los que en otros siglos me escucharán.
Y ustedes, que no he dicho aún dónde están
ni he señalado uno por uno, pero que también
incluyo: salud a todos, buenos deseos a todos
de mi parte y de América.

Cada uno de nosotros, inevitable.
Cada uno de nosotros, ilimitado. Cada uno de nosotros,
hombre, mujer, con derecho a estar en la tierra.
Cada uno de nosotros admitidos en los designios
eternos de la tierra.
Cada uno de nosotros, aquí, tan divinos como todos
los otros.

8

My spirit has pass'd in compassion and determination
around the whole earth,
I have look'd for equals and lovers and found them
ready for me in all lands,
I think some divine rapport has equalized me with
them.

You vapors, I think I have risen with you, moved away
to distant continents, and falled down there,
for reasons,
I think I have blown with you, you winds;
You waters I have finger'd every shore with you,
I have run through what any river or strait
of the globe has run through,
I have taken my stand on the bases of peninsulas
and on the high embedded rocks, to cry thence:

Salut au monde!

What cities the light or warmth penetrates I penetrate
those cities myself,
All islands to which birds wing their way I wing
my way myself.

Toward you all, in America's name,
I raise high the perpendicular hand, I make
the signal,
To remain after me in sight forever,
For all the haunts and homes of men.

8

Compasivo y resuelto, ha recorrido mi espíritu la tierra
entera,
he buscado a mis iguales y a mis amantes y en todos
los países los encontré dispuestos para mí
(pienso que alguna divina afinidad me iguala a ellos).

Siento que me he elevado contigo, vapor, y he recorrido
así lejanos continentes hasta volver, por fuerza,
a caer en ellos.
Siento que he soplado con ustedes, vientos,
y que con ustedes, las aguas, he palpado todas las orillas,
y como una corriente he atravesado lo que todo río
o estrecho del mundo atraviesa con su corriente.
He tomado mi lugar al pie de las penínsulas y en las
altas y escarpadas rocas para gritar desde ahí:

¡Te saludo, Mundo!

En las ciudades donde penetran la luz o el calor
yo mismo también penetro,
a todas las islas a donde las aves vuelan yo mismo
también vuelo.

Para todos ustedes, en el nombre de América,
levanto en alto la mano, vertical,
quiero que después de mí quede para siempre esta señal
y que sea visible para todas las guaridas y casas
de los hombres.

SONG OF THE OPEN ROAD

1

You air that serves me with breath to speak!
You objects that call from diffusion my meanings
and give them shape!

You light that wraps me and all things in delicate
equable showers!
You paths worn in the irregular hollows by the
roadsides!
I believe you are latent with unseen existences,
you are so dear to me.

You flagg'd walks of the cities! you strong curbs
at the edges!
You ferries! you planks and posts of wharves!
you timber-lined sides! you distant ships!
You rows of houses! you window-pierc'd façades!
you roofs!
You porches and entrances! you copings and iron guards!
You windows whose transparent shells might expose
so much!
You doors and ascending steps! you arches!
You gray stones of interminable pavements! you
trodden crossings!
From all that has touch'd you I believe you have
imparted to yourselves, and now would impart
the same secretly to me,
From the living and the dead you have peopled
your impassive surface, and the spirits thereof
would be evident and amicable with me.

1

Aire que me ayudas con la respiración a hablar,
objetos que desde lo indiferenciado atraen a mis
sentidos y los moldean,
luz que me envuelves a mí y a las cosas con una
uniforme y delicada lluvia,
gastados senderos en las hondonadas de la orilla
del camino,
en ustedes duermen existencias insospechadas,
¡ah, cuánto los amo!

Ustedes: calles embaldosadas, agudos bordes de las
aceras.
Transbordadores, tablones y postes de embarcaderos,
bordas del más alto maderamen, barcas distantes.
Ustedes: hileras de casas, fachadas abiertas por
ventanas, tejados,
porches y entradas, albardillas y guardas de hierro,
ventanas cuyas transparentes cortezas tanto pueden
descubrir,
puertas y gradas que ascienden, arcos,
grises piedras de interminables calles pavimentadas,
cruzamientos tantas veces pisados.
Todas las cosas que han estado en contacto con ustedes
creo que algo les ha comunicado y ahora,
secretamente, lo comparten conmigo,
con lo vivo y lo muerto ustedes han poblado sus
imperturbables superficies y ahora el alma de todo
quiere, amigable mostrárseme.

2

Listen! I will be honest with you,
I do not offer the old smooth prizes, but offer
rough new prizes,
These are the days that must happen to you:
You shall not heap up what is call'd riches,
You shall scatter with lavish hand all that you
earn or achieve,
You but arrive at the city to which you were destin'd,
you hardly settle yourself to satisfaction before you
are call'd by an irresistible call to depart,
You shall be treated to the ironical smiles and mockings
of those who remain behind you,
What beckonings of love you receive you shall only
answer with passionate kisses of parting,
You shall not allow the hold of those who spread
their reach'd hands toward you.

2

Escucha, seré sincero contigo,
no te ofrezco las viejas dulces recompensas, sino nuevas
 e indómitas;
así serán tus días:
no acumularás riquezas,
derrocharás con mano pródiga todo lo que obtengas
 o recibas,
cuando estés apenas estableciéndote para ser feliz
 en la ciudad a que se te haya destinado, sentirás
 un irresistible llamado por volver a partir,
te tratarán con irónicas sonrisas y se burlarán los que
 detrás de ti se vayan quedando,
a las muestras de amor que recibas sólo podrás
 responder con apasionados besos de adiós,
no podrán retenerte los que tiendan hacia ti
 sus manos abiertas.

3

Allons! after the great Companions, and to belong
to them!
They too are on the road –they are the swift and
majestic men –they are the greatest women,
Enjoyers of calms of seas and storms of seas,

Sailors of many a ship, walkers of many a mile of land,
Habituès of many distant countries, habituès of
far-distant dwellings,
Trusters of men and women, observers of cities,
solitary toilers,
Pausers and contemplators of tufts, blossoms, shells
of the shore,
Dancers at wedding-dances, kissers of brides, tender
helpers of children, bearers of children,
Soldiers of revolts, standers by gaping graves,
lowerers-down of coffins,
Journeyers over consecutive seasons, over the years,
the curious years each emerging from that which
preceded it,
Journeyers as with companions, namely their own
diverse phases,
Forth-steppers from the latent unrealized baby-days,
Journeyers gayly with their own youth, journeyers
with their bearded and well-grain'd manhood,
Journeyers with their womanhood, ample, unsurpass'd,
content,
Journeyers with their own sublime old age of manhood
or womanhood,
Old age, calm, expanded, broad with the haughty
breadth of the universe,
Old age, flowing free with the delicious near-by
freedom of death.

3

¡Allons!
Unámonos con los grandes Compañeros,
ellos también van en camino, son raudos y majestuosos
hombres y las mejores mujeres,
se deleitan con la calma de los mares y con las
tempestades de los mares,
son marinos de muchos barcos y caminantes de
muchísimas millas,
familiarizados con distantes países y con variadas
y remotas viviendas;
tienen fe en los hombres y en las mujeres, son
observadores de las ciudades y trabajadores solitarios,
se detienen a contemplar los manojos de hierba, las
flores y las conchas en las playas;
son los que danzan en las fiestas de bodas,
los que besan a las novias, tiernos cuando
ayudan a los niños y cuando los cargan;
soldados en las rebeliones, los que permanecen firmes
junto a las tumbas abiertas y también los que
descienden los ataúdes;
viajeros de temporadas consecutivas todos los años,
insólitos años que van surgiendo de los anteriores,
viajeros que se acompañan con sus propias
diversas facetas,
que provienen desde los dormidos e irrealizados
años de la infancia,
contentos con su juventud o con su virilidad
barbada y rebosante,
viajeras con su feminidad plena, insuperable, gozosa,
viajeros de sublime vejez masculina o femenina,
vejez serena, dilatada, extensa con la orgullosa amplitud
del universo,
vejez que fluye libre con la deliciosa, cercana
libertad de la muerte.

CROSSING BROOKLYN FERRY

WHAT IS IT THEN BETWEEN US?

What is it then between us?
What is the count of the scores or hundreds
of years between us?

Whatever it is, it avails not –distance avails not,
and place avails not,
I too lived, Brooklyn of ample hills was mine,
I too walk'd the streets of Manhattan island,
and bathed in the waters around it,
I too felt the curious abrupt questionings stir
within me,
In the day among crowds of people sometimes they
came upon me,

In my walks home late at night or as I lay in my
bed they came upon me,
I too had been struck from the float forever
held in solution,
I too had receiv'd identity by my body,
That I was I knew was of my body, and what
I should be I knew I should be of my body.

¿QUÉ IMPORTA?

¿Qué importa lo que está entre nosotros?
¿Qué importa el número de años o de siglos que
nos separan?

No importan. No importa la distancia, no importa
el lugar.
Yo también viví: Brooklyn, la de amplias colinas,
fue mía,
también recorrí las calles de la isla de Manhattan
y me bañe en las aguas que la rodean,
dentro de mí también se agitaron extrañas y
repentinas preguntas:
a veces llegaban a mí durante el día, entre mucha gente,
durante mis caminatas nocturnas, o ya acostado
en la cama.
A mí también me golpeó esa corriente de las cosas
que siempre insiste en disolvernos.
Y también recibí la identidad por mi cuerpo:
lo que yo era, supe que lo era por mi cuerpo,
y lo que habría de ser, sabía que lo tendría
que ser por mi cuerpo.

IT IS NOT UPON YOU ALONE

It is not upon you alone the dark patches fall,
The dark threw its patches down upon me also,
The best I had done seem'd to me blank and suspicious,
My great thoughts as I supposed them, were they
  not in reality meagre?
Nor is it you alone who know what it is to be evil,
I am he who knew what it was to be evil,
I too knitted the old knot of contrariety,
Blabb'd, blush'd, resented, lied, stole, grudg'd,
Had guile, anger, lust, hot wishes I dared not speak,
Was wayward, vain, greedy, shallow, sly, cowardly,
  malignant,
The wolf, the snake, the hog, not wanting in me,
The cheating look, the frivolous word, the adulterous
  wish, not wanting,
Refusals, hates, postponements, meanness, laziness,
  none of these wanting,
Was one with the rest, the days and haps of the rest,
Was call'd by my nighest name by clear loud voices
  of young men as they saw me approaching or passing,
Felt their arms on my neck as I stood, or the negligent
  leaning of their flesh against me as I sat,
Saw many I loved in the street or ferry-boat
  or public assembly, yet never told them a word,
Lived the same life with the rest, the same old laughing,
  gnawing, sleeping,
Play'd the part that still looks back on the
  actor or actress,

NO SÓLO SOBRE TI

No sólo sobre ti las tinieblas dejan caer sus sombras,
las tinieblas también sobre mí las arrojan.
Mis mejores acciones me parecieron huecas y
sospechosas.
Y mis pensamientos más elevados ¿no fueron en realidad
insignificantes?
No eres el único que se sabe malvado.
Yo también he atado el antiguo nudo de la enemistad,
me he avergonzado y he sido chismoso, resentido,
ladrón, mentiroso, envidioso;
he defraudado y he sido iracundo y tan lujurioso que
mis deseos obscenos no me atreví a confesar;
fui voluntarioso, fatuo, codicioso, trivial, cobarde,
calumniador, bellaco;
el lobo, la víbora y el cerdo no han faltado en mí,
ni la mirada engañosa, la palabra frívola y el
deseo adúltero;
ni el rechazo, el odio, la bajeza, la postergación,
la indolencia;
fui uno con los demás, uno con los días y sucesos
de los demás;
me llamaron a gritos, con mi más íntimo nombre,
jóvenes que me veían aproximarme o detenerme,
sentí sus brazos en mi cuello estando de pie y el
negligente reclinarse de su carne contra mí
cuando estaba sentado,
vi a muchas personas amadas en la calle, en el
transbordador o en reuniones públicas y no les
dirigí una palabra.

The same old role, the role that is what we make it,
as great as we like,
Or as small as we like, or both great and small.

Viví la misma vida que todos, el mismo viejo reír,
masticar, dormir;
representé el mismo papel que aún parece regresarnos
al actor o a la actriz,
el mismo viejo papel, el papel de lo que nosotros
hacemos, tan grande como queremos,
o tan pequeño como nosotros queremos, o grande
y pequeño a la vez..

AH, WHAT CAN EVER BE MORE STATELY?

Ah, what can ever be more stately and admirable
  to me than mast-hemm'd Manhattan?
River and sunset and scallop-edg'd waves of flood-tide?
The sea-gulls oscillating their bodies, the hay-boat
  in the twilight, and the belated lighter?
What gods can exceed these that clasp me by the hand,
  and with voices I love call me promptly and loudly
  by my nighest name as I approach?
What is more subtle than this which ties me to the
  woman or man that looks in my face?
Which fuses me into you now, and pours my meaning
  into you?
We understand then do we not?
What I promis'd without mentioning it, have you
  not accepted?
What the study could not teach –what the preaching
  could not accomplish is accomplish'd, is it not?

¿QUÉ PODRÍA SER MÁS ADMIRABLE?

¿Qué podría ser más admirable y majestuoso para mí
que Manhattan rodeada de mástiles?
¿O que el río, la puesta del sol y las agudas olas
festonadas cuando la marea se inicia?
¿O que las gaviotas balanceando sus cuerpos sobre
el mar, la barca llena de forraje bajo el crepúsculo
y una barcaza que se demora?
¿Qué dioses podrían superar a quienes me toman de la
mano, a los que al acercarme, con voces que amo me
llaman excitados o a gritos con mi más intimo
nombre?
¿Qué más sutil que esto que me liga a la mujer
o al hombre cuando me miran de frente?
¿Qué hace que me fusione contigo ahora y que mi
pensamiento se difunda dentro de ti?

Nos comprendemos, ¿verdad?
¿No has aceptado acaso lo que prometí sin
necesidad de nombrarlo?
Lo que el estudio no enseña y la predicación no cumple,
hoy se ha cumplido, ¿verdad que es así?

A SONG OF THE ROLLING EARTH

WHOEVER YOU ARE!

Whoever you are! motion and reflection are specially
for you,
The divine ship sails the divine sea for you.
Whoever you are! you are he or she for whom the
earth is solid and liquid,
You are he or she for whom the sun and moon
hang in the sky,
For none more than you are the present and the past,
For none more than you is immortality.

Each man to himself and each woman to herself,
is the word of the past and present, and the true
word of immortality;
No one can acquire for another –not one,
Not one can grow for another –not one.

The song is to the singer, and comes back most to him,
The teaching is to the teacher, and comes back
most to him,
The murder is to the murderer, and comes
back most to him,
The theft is to the thief, and comes back most to him,
The love is to the lover, and comes back most to him,
The gift is to the giver, and comes back most to him
–it cannot fail,
The oration is to the orator, the acting is to the actor
and actress not to the audience,

And no man understands any greatness or goodness
but his own, or the indication of his own.

QUIENQUIERA QUE SEAS

Son para ti, quienquiera que seas, el movimiento
y la reflexión,
la embarcación divina surca el mar divino para ti.
La tierra es sólida y líquida por ti.
Eres el hombre y la mujer por quien el sol y la luna
siguen suspendidos en el cielo.
Sólo para ti el presente y el pasado existen,
sólo para ti la inmortalidad existe.

Cada hombre y cada mujer son por sí mismos la palabra
del pasado y del presente, la verdadera palabra
de la inmortalidad.
Nadie puede adquirir por otro, nadie.
Nadie puede crecer por otro, nadie.

La canción es para quien la canta y a él lo
principal retorna,
la enseñanza es para el maestro y a él
lo principal retorna,
el asesinato es para el asesino y a él lo principal retorna,
el robo afecta al que roba y a él lo principal retorna,
el amor es para quien ama y a él retorna,
el regalo es para el que regala y a él siempre retorna,
la disertación es para quien diserta, la actuación para
el actor y la actriz y no para el auditorio,
y ningún hombre comprende más grandeza ni bondad
que la suya propia o la señal de la suya propia.

YOUTH, DAY, OLD AGE AND NIGHT

Youth, large, lusty, loving –youth full of grace,
  force, fascination,
Do you know that Old Age may come after you with
  equal grace, force fascination?

Day full-blown and splendid –day of the inmense sun,
  action, ambition, laughter,
The Night follows close with millions of suns, and sleep
  and restoring darkness.

JUVENTUD, DÍA, VEJEZ, NOCHE

Juventud generosa, robusta, enamorada, llena de gracia,
vigor, fascinación,
¿sabes que la vejez viene en pos de ti con igual gracia,
fuerza, fascinación?

Día perfecto y espléndido, de inmenso sol, actividad,
ambición, gozo,
también la noche te sigue de cerca con millones de soles
y sueños y oscuridad reparadora.

BY THE ROAD SIDE

THE DALLIANCE OF THE EAGLES

Skirting the river road (my forenoon walk, my rest),
Skyward in air a sudden muffled sound, the dalliance
of the eagles,
The rushing amorous contact high in space together,
The clinching interlocking claws, a living, fierce,
gyrating wheel,
Four beating wings, two beaks, a swirling mass tight
grappling,
In tumbling turning clustering loops, straight downward
falling,
Till o'er the river pois'd, the twain yet one, a
moment's lull,
A motionless still balance in the air, then parting,
talons loosing,
Upward again on slow-firm pinions slanting, their
separate diverse flight,
She hers, he his, pursuing.

EL ABRAZO DE LAS ÁGUILAS

Caminando por la orilla del río (en mi paseo matinal,
    en mi descanso),
en lo alto del cielo, sonó súbitamente en el aire,
    sofocado, el abrazo de las águilas.
El agresivo contacto amoroso en lo alto del espacio,
el abrazo de entrelazadas garras, de una salvaje, viviente
    y girante rueda:
cuatro alas sacudiéndose, dos picos, una compacta
    masa unida en torbellino,
precipitándose en un círculo arracimado, girando,
    derrumbándose en veloz caída
hasta quedar flotando por encima del río, ambas todavía
    una sola cosa, momentáneamente sosegadas,
inmóviles, balanceándose en el aire, y luego se apartan,
    se desunen las garras
y hacia arriba otra vez, con lentas y firmes alas
reemprenden (ella el suyo, él el suyo)
su distante y solitario vuelo.

MOTHER AND BABE

I see sleeping babe nestling the breast of its mother,
The sleeping mother and babe –hush'd, I study them long and long.

MADRE E HIJO

Veo al niño que duerme acurrucado en el pecho
de su madre.
La madre y el niño duermen –silencioso, los contemplo
largamente.

THOUGHT

Of obedience, faith, adhesiveness;
As I stand aloof and look there is to me something profoundly affecting in large masses of men following the dead of those who do not believe in men.

PENSAMIENTO

Obediencia, fe, adhesión...
Considerando las cosas con desapego, meditando,
veo que hay algo profundamente conmovedor
en las grandes masas de hombres que dejan que
los guíen aquellos que no creen en los hombres.

DRUM-TAPS

LOOK DOWN FAIR MOON

Look down fair moon and bathe this scene,
Pour softly down night's nimbus floods on faces ghastly,
  swollen, purple,
On the dead on their backs with arms toss'd wide,
Pour down your unstinted nimbus sacred moon.

MIRA HACIA ABAJO, HERMOSA LUNA

Mira hacia abajo, hermosa luna, y baña esta escena,
esparce dulcemente el nimbo de la noche sobre estos
 rostros inertes, hinchados, amoratados,
sobre los muertos que yacen de espaldas con los
 brazos abiertos,
esparce aquí tu generoso nimbo, sagrada luna.

RECONCILIATION

Word over all, beautiful as the sky,
Beautiful that war and all its deeds of carnage must
   in time be utterly lost,
That the hands of the sisters Death and Night
   incessantly softly wash again, and ever again, this
   soil'd world;
For my enemy is dead, a man divine as myself is dead,
I look where he lies white-faced and still in the
   coffin –I draw near,
Bend down and touch lightly with my lips the white
   face in the coffin.

RECONCILIACIÓN

Palabra que supera todo, hermosa como el firmamento.
Bello que la guerra y su carnicería alguna vez
desaparecieran por completo,
que las manos de las hermanas Muerte y Noche
no lavaran incesante, suavemente, una y otra vez
este mancillado mundo.
Hoy mi enemigo está muerto, un hombre divino
como yo está muerto.
Yace en su ataúd, inmóvil y con pálido rostro. Me
acerco,
me inclino a tocar ligeramente con mis labios
su blanco rostro en el ataúd.

WHISPERS OF HEAVENLY DEATH

THE LAST INVOCATION

At the last, tenderly,
From the walls of the powerful fortress'd house,
From the clasp of the knitted locks, from the keep
 of the well-closed doors,
Let me be wafted.

Let me glide noiselessly forth;
With the key of softness unlock the locks –with
 a whisper,
Set ope the doors O soul.

Tenderly –be not impatient,
(Strong is your hold O mortal flesh,
Strong is your hold O love).

INVOCACIÓN FINAL

Al final, tiernamente,
desde los muros de la poderosa casa fortificada,
desde los cerrojos firmemente cerrados, desde la prisión
  asegurada por firmes puertas,
me esparciré como brisa.

Silenciosamente me deslizaré hacia afuera,
con una llave de suavidad abriré los cerrojos
  –con un susurro
abriré las puertas, oh alma mía.

Lo haré tiernamente, sin impaciencia
(pero fuerte es tu prisión, oh carne mortal,
fuerte es tu lazo, oh amor).

PENSIVE AND FALTERING

Pensive and faltering,
The words *the Dead* I write,
For living are the Dead,
(Haply the only living, only real,
And I the apparition, I the spectre).

PENSATIVO Y TITUBEANTE

Pensativo y titubeante
escribo: *los muertos.*

Quizás están vivos los muertos
(acaso ellos son lo único vivo, lo único real,
y yo la aparición, el espectro).

FROM NOON TO STARRY NIGHT

EXCELSIOR

Who has gone farthest? for I would go farther,
And who has been just? for I would be the most
just person of the earth,
And who most cautious? for I would be more cautious,
And who has been happiest? O I think it is I –I think
no one was ever happier than I,
And who has lavish'd all? for I lavish constantly
the best I have,
And who proudest? for I think I have reason to be the
proudest son alive –for I am the son of the brawny
and tall-top city,
And who has been bold and true? for I would be the
boldest and truest being of the universe,
And who benevolent? for I would show more
benevolence than all the rest,
And who has receiv'd the love of the most friends?
for I know what it is to receive the passionate
love of many friends,
And who possesses a perfect and enamour'd body?
for I do not believe any one possesses a more perfect
or enamour'd body than mine,
And who thinks the amplest thoughts? for I would
surround those thoughts,
And who has made hymns fit for the earth? for I am
mad with devouring ecstasy to make joyous hymns
for the whole earth.

EXCELSIOR

¿Quién ha ido más lejos? Pues yo quiero ir más lejos.
¿Quién ha sido justo? Pues yo quiero ser el más justo
 de la tierra.
¿Quién el más ponderado? Pues yo quiero ser más
 ponderado aún.
¿Y quién ha sido más feliz? Ah, sé que yo, sé que nadie
 ha sido más feliz que yo.
¿Quién ha derrochado todo? Pues yo constantemente
 derrocho lo mejor que poseo.
¿Quién es el más orgulloso? Pues yo tengo
 razón para ser el más orgulloso hijo viviente
 –porque soy el hijo de la vigorosa ciudad
 de más elevados edificios.
¿Quién ha sido audaz y constante? Yo he sido el más
 audaz y el más constante del universo.
¿Y quién el más benevolente? Pues yo he demostrado
 más benevolencia que todos.
¿Quién ha tenido el amor de más amigos? Yo sé qué
 es recibir el amor apasionado de muchos amigos.
¿Quién tiene un cuerpo perfecto que provoque el amor
 en todos? Pues no creo que nadie tenga un cuerpo
 más perfecto y que más incite al amor que el mío.
¿Y quién tiene los más vastos pensamientos? Pues yo
 sería capaz de abarcar todos esos pensamientos.
¿Y quién ha creado himnos suficientes para la tierra?
 Pues yo enloquezco por componer, jubiloso,
 con éxtasis devorador, poemas para la tierra entera.

BY BROAD POTOMAC'S SHORE

By broad Potomac's shore, again old tongue,
(Still uttering, still ejaculating, canst never cease
this babble?)
Again old heart so gay, again to you, your sense,
the full flush spring returning,
Again the freshness and the odors, again Virginia's
summer sky, pellucid blue and silver,
Again the forenoon purple of the hills,
Again the deathless grass, so noiseless soft and green,
Again the blood-red roses blooming.

Perfume this book of mine O blood-red roses!
Lave subtly with your waters every line Potomac!
Give me of you O spring, before I close, to put between
its pages!
O forenoon purple of the hills, before I close, of you!
O deathless grass, of you!

EN LA RIBERA DEL VASTO POTOMAC

Otra vez llegamos a la ribera del vasto Potomac,
  vieja lengua
(¿todavía hablas, todavía te lamentas, nunca terminará
  tu palabrerío?),
otra vez a ti regresan, viejo corazón alegre, tus sentidos
  y la primavera colmada de vida,
otra vez la frescura y las fragancias, el cielo veraniego
  de Virginia, su diafanidad azul y plata.
De nuevo surge el color violeta de las colinas
  en las mañanas,
de nuevo la hierba inmortal silenciosa, tersa, verde;
florecen de nuevo rosas rojas como la sangre.

Perfumen mi libro, oh, rosas rojas como la sangre.
Con tus aguas, Potomac, lava cada uno de mis versos.
Dame algo tuyo, Primavera, para ponerlo entre
  las páginas.
Y también algo del color violeta de las colinas
  en las mañanas.
Y algo tuyo, oh hierba inmortal.

SONGS OF PARTING

AS THE TIME DRAWS NIGH

As the time draws nigh glooming a cloud,
A dread beyond of I know not what darkens me.

I shall go forth,
I shall traverse the States awhile, but I cannot tell
whither or how long,
Perhaps soon some day or night while I am singing
my voice will suddenly cease.

O book, O chants! must all then amount to but this?
Must we barely arrive at this beginning of us?
–and yet it is enough, O soul;
O soul, we have positively appear'd –that is enough.

AL APROXIMARSE LA HORA

Al aproximarse la hora, una nube se oscurece
y siento temor del más allá que desconozco.

Iré muy lejos.
Recorreré los Estados un tiempo, no sé dónde
ni cuándo.
Pronto, algún día o noche estaré cantando y mi voz
súbitamente cesará.

Oh libro mío, oh cantos, ¿todo tiene que llegar a esto?
¿Tenemos que volver inermes a nuestro principio?
Y sí, con eso basta, alma mía.
Verdaderamente, alma mía, hemos estado.
Eso basta.

THE UNTOLD WANT

The untold want by life and land ne'er granted,
Now voyager sail thou forth to seek and find.

EL DESEO INEFABLE

El deseo inefable que jamás se te concedió en la vida
ni en la tierra,
ahora, navegante, hazte a la mar, lejos, para buscarlo y
encontrarlo.

THESE CAROLS

These carols sung to cheer my passage through
 the world I see,
For completion I dedicate to the Invisible World.

ESTOS CANTOS

Estos cantos que alegraron mi paso por el mundo
visible,
los dedico, para que se completen, al Mundo Invisible.

SANDS AT SEVENTY

AFTER THE DAZZLE OF DAY

After the dazzle of day is gone,
Only the dark, dark night shows to my eyes the stars;
After the clangor of organ majestic, or chorus,
    or perfect band,
Silent, athwart my soul, moves the symphony true.

DESPUÉS DE LA LUMINOSIDAD DEL DÍA

Después de la luminosidad del día,
sólo la negra, negra noche descubre a mis ojos
las estrellas.
Después del resonante órgano majestuoso, del coro
o de la orquesta perfecta,
en mi alma se eleva, silenciosa, la verdadera sinfonía.

THANKS IN OLD AGE

Thanks in old age –thanks ere I go
For health, the midday sun, the impalpable air
–for life, mere life,
For precious ever-lingering memories (of you my mother
Dear –you, father– you, brothers, sisters, friends),
For all my days –not those of peace alone– the days of war the same,
For gentle words, caresses, gifts from foreign lands,
For shelter, wine and meat –for sweet appreciation,

(You distant, dim unknown –or young or old–
ountless, unspecified, readers belov'd,
We never met, and ne'er shall meet –and yet our souls embrace, long, close and long);
For beings, groups, love, deeds, words, books
–for colors, forms,
For all the brave strong men –devoted, hardy men who've forward sprung in freedom's help,
all yea lands,
For braver, stronger, more devoted men –(a special laurel ere I go, to life's war's chosen ones,
The cannoneers of song and thought –the great artillerists– the foremost leaders, captains
of the soul):
As soldier from an ended war return'd –As traveler out of myriads, to the long procession retrospective,
Thanks –joyful thanks!– a soldier's traveler's thanks.

GRACIAS EN LA VEJEZ

Gracias en la vejez, gracias, antes de partir,
por la salud, el sol del mediodía, el aire impalpable
   –por la vida, la sola vida–,
por los preciosos recuerdos presentes siempre (de ti,
   madre amada, de ti, padre, de ustedes, hermanos,
   hermanas, amigos),
por todos mis días –no sólo de paz, también
   los de guerra–,
por las suaves palabras, caricias, regalos de otros países;
por la hospitalidad, el vino, la carne, el dulce aprecio
(ustedes, lejanos, difuminados, desconocidos –jóvenes o
   viejos–, incontables, indefinidos lectores amados,
nunca nos conocimos, nunca nos conoceremos, y sin
   embargo nuestras almas se abrazan estrecha
   y larga, largamente),
por las personas, grupos, amor, hechos, palabras,
   libros; por los colores y las formas;
   por todos los fuertes hombres valientes –hombres
   leales, osados– que defendieron la libertad en
   cualquier tiempo y en cualquier tierra,
por los más valerosos, los más fuertes, los más leales
   hombres (un laurel especial antes de irme, para
   los mejores en la lucha de la vida,
soldados que tienen por arma el canto y el pensamiento,
   los más grandes artilleros, los más importantes guías,
   capitanes del alma):
como soldado que vuelve de una guerra que concluye,
   como viajero entre los millares de una larga
   procesión que termina,
gracias –¡gracias!– de un soldado, gracias de un viajero.

TWILIGHT

The soft voluptuous opiate shades,
The sun just gone, the eager light dispell'd
   –(I too will soon be gone, dispell'd),
A haze –nirwana– rest and night-oblivion.

CREPÚSCULO

Sombras tersas, voluptuosas, sedantes.
El sol acaba de ponerse, la ansiosa luz se esfuma
(también muy pronto me iré, me esfumaré).
Neblina –nirvana–, descanso. Y noche, olvido.

AFTER THE SUPPER AND TALK

After the supper and talk –after the day is done,
As a friend from friends his final withdrawal prolonging,
Good-bye and Good-bye with emotional lips repeating,
(So hard for his hand to release those hands
–no more will they meet.
No more for communion of sorrow and joy,
of old and young,
A far-stretching journey awaits him, to return no more),
Shunning, postponing severance –seeking to ward
off the last word ever so little,
E'en at the exit-door turning –charges superfluous
calling back– e'en as he descends the steps,
Something to eke out a minute additional –shadows
of nightfall deepening,
Farewells, messages lessening –dimmer the forthgoer's
visage and form,
Soon to be lost for aye in the darkness –loth,
O so loth to depart!
Garrulous to the very last.

DESPUÉS DE LA CENA Y LA CONVERSACIÓN

Después de la cena y la conversación, cuando el día
ha terminado,
como un amigo que retrasa el momento de despedirse
de sus amigos,
que repite adiós y adiós con labios emocionados
(qué difícil para su mano desprenderse de esas manos,
no volverán a verse,
no más comunicación de tristezas y alegrías,
de viejos y jóvenes,
un largo viaje lo espera, no retornará más),
que evade, que prolonga la despedida, que quiere
retrasar un poco la última palabra,
que todavía en la puerta se vuelve, regresa haciendo
encargos superfluos, o incluso al bajar los peldaños,
algo para ganar un minuto más, las sombras de la
noche se ahondan,
las despedidas y las recomendaciones disminuyen,
va esfumándose el rostro y la imagen del que parte,
pronto se perderá en la oscuridad, sin ganas, oh sin
ganas de partir, hablador hasta el último instante.

GOOD-BYE MY FANCY

And whence and why come you?

We know not whence (was the answer),
We only know that we drift here with the rest,
That we linger'd and lagg'd –but were wafted at last,
and are now here,
To make the passing shower's concluding drops.

LAS ÚLTIMAS GOTAS RETRASADAS

¿De dónde y por qué llegan?

Ignoramos de dónde (fue la respuesta).
Sólo sabemos que nos arrastraron hasta aquí con
las demás,
y que nos rezagamos al retrasarnos. Pero una ráfaga
al fin nos lanzó y aquí estamos ahora,
para ser las últimas gotas de la lluvia que acaba.

APPARITIONS

A vague mist hanging 'round half the pages:
(Sometimes how strange and clear to the soul,
That all these solid things are indeed but apparitions,
concepts, non-realities).

APARICIONES

Una vaga neblina cubre la mitad de las páginas
(a veces, qué extraño y claro para el alma
que todas estas cosas sólidas no sean sino apariciones,
conceptos, irrealidades).

GOOD-BYE MY FANCY!

Good-bye my Fancy!
Farewell dear mate, dear love!
I'm going away, I know not where,
Or to what fortune, or whether I may ever see you
again,
So Good-bye my Fancy.

Now for my last –let me look back a moment;
The slower fainter ticking of the clock is in me,
Exit, nightfall, and soon the heart-thud stopping.

Long have we lived, joy'd, caress'd together;
Delightful! –now separation– Good-bye my Fancy.

Yet let me not be too hasty,
Long indeed have we lived, slept, filter'd, become really
blended into one;
Then if we die we die together (yes, we'll remain one),
If we go anywhere we'll go together to meet
what happens,
May-be we'll be better off and blither, and learn
something,
May-be it is yourself now really ushering me to the true
songs, (who knows?)
May-be it is you the mortal knob really undoing,
turning –so now finally,
Good-bye –and hail my Fancy.

¡ADIÓS, IMAGINACIÓN MÍA!

¡Adiós, Imaginación mía!
Dulce compañera, me despido, dulce amada.
Me voy lejos, no sé a dónde
ni a qué destino, no sé siquiera si volveré a verte,
así que, adiós, Imaginación mía.

Ahora, en mi fin –déjame ver hacia atrás un instante,
es más lento ahora el débil tictac del reloj en mí–,
salgo, ya anochece, pronto dejará de latir mi corazón.

Largo tiempo hemos vivido y gozado, cuidándonos
  juntos.
¡Delicioso! Ahora la separación. Adiós, Imaginación mía.

Pero permíteme, no quiero apresurarme.
Sí, mucho tiempo hemos vivido, dormido, nos hemos
  compenetrado hasta realmente convertirnos
  en uno solo;
así que, si yo muero, moriremos juntos (sí, seguiremos
  siendo uno solo),
si me dirijo hacia algún lugar, iremos juntos y nos
enfrentaremos con lo que ocurra,
quizás estaremos mejor y más felices,
  y aprenderemos algo,
quizás eres tú misma quien ahora realmente me guía
  hacia los verdaderos poemas (¿quién lo sabe?),
quizás eres tú quien realmente gira el mortal picaporte
  y abre; así que, ahora, finalmente, adiós, y ¡suerte!,
  Imaginación mía.

WALT WHITMAN
FICHA BIOBIBLIOGRÁFICA

Walt Whitman nació en 1819 en Long Island, Estado de Nueva York. Su vida de viajero se dio en plena comunicación con la naturaleza. Descendiente de campesinos y artesanos, fue empleado, imprentero, periodista y maestro, entre sus muchos oficios ocasionales. En 1853, él mismo imprimió la primera edición de *Hojas de Hierba*, libro que fue aumetando al correr de los años con textos nuevos o corregidos. Esta primera edición ni se vendió ni fue entendida en su momento. Luego, con el correr de los años, el centenar de páginas del primer cuadernillo se quintuplicó en la octava edición de 1882. Whitman participó en la Guerra de Secesión en 1862 y diez años después quedó postrado por una parálisis. En 1871 había dado a conocer *Perspectivas democráticas*, páginas en prosa en las que reflexiona sobre las formas de una sociedad nueva basada en un orden democrático que, aunque aún en estado embrionario, se fortalecerá -dice- apoyado en la comunión de los hombres, la religión, la libertad, el arte y la educación. Falleció en 1892. Su obra influenció posteriormente a numerosas voces que hoy figuran en el primer plano de la poesía internacional; para citar sólo un ejemplo, en el nicaragüense Rubén Darío es posible encontrar algo de la respiración poderosa de Whitman.

ÍNDICE

Impreso en
A.B.R.N. Producciones Gráficas S.R.L.,
Wenceslao Villafañe 468,
Buenos Aires, Argentina,
en abril de 1999.

Printed in the United States
714900001B